Peter Jan Rens

Voordat Peter Jan Rens bekend werd als meneer Kaktus, werkte hij een aantal jaren als fysiotherapeut in een ziekenhuis. Hij vertelt hierover: 'Ik wilde eerst van alles meemaken. Door die fysiotherapie belandde ik in het echte leven. In het ziekenhuis had ik dagelijks te maken met allerlei verschillende soorten mensen en stond ik voortdurend tussen het leven en de dood.'

Na acht jaar begon hij zijn werk op het toneel en later voor de televisie. Hij werd bekend door zijn optreden als meneer kaktus bij het programma 'Tineke'. Later kreeg hij zijn eigen programma: 'De Grote Meneer Kaktus Show'. Zijn carrière als presentator begon met het programma 'Labyrinth', waarna programma's volgden als 'Doet-ie het of doet-ie het niet' en 'Geef nooit op'.

Naast dit alles schrijft Peter Jan nu ook kinder- en jeugdboeken. Hij vindt het belangrijk om zich voor te stellen wat kinderen voelen en denken: 'Volwassenen zijn vergeten dat ze ooit kind zijn geweest. Toen ik twaalf was, was ik misschien wel het gelukkigst. Ik denk dat ik niet de enige ben met dat gevoel. Alles zat me toen mee en ik hoefde nergens aan te denken. Als je jong bent, weet je nog niets van een levensdoel, een vaste baan of belastingpapieren. Die eerste twaalf jaar moet iedereen goed in zijn geheugen griffen.'

Peter Jan Rens

Bloedmooi

met tekeningen van Wilbert van der Steen

Uitgeverij Ploegsma Amsterdam

Zonder Nanny was dit boek er nooit gekomen

ISBN 90 216 1604 1

Omslagontwerp: Steef Liefting

Verspreiding in België: C. de Vries-Brouwers bvba, Antwerpen

Hoofdstuk 1

Iemand van zestien gaat over het algemeen niet meer met zijn ouders op vakantie. Ik zou deze zomer dan ook met mijn vrienden op Texel gaan kamperen. Maar dit plan ging op een verrassende manier niet door.

In januari deed ik mee aan een tekenwedstrijd voor kinderen van twaalf tot zestien jaar. Ik kon nog net meedoen omdat ik in mei pas zestien werd. De wedstrijd werd georganiseerd door een wasmiddelenfabrikant en er waren vele prachtige prijzen te winnen. Ik had mijn oog laten vallen op de vijfde prijs, een mooie tweepersoons lichtgewicht tent die bestand was tegen extreme weersomstandigheden. Een zogenaamde tunneltent, die zowel in de poolstreek als in de tropen te gebruiken was. Voor Texel leek me dat ruim voldoende.

Nu moest ik natuurlijk nog wel even in de prijzen vallen. Ik besloot daarom niet alleen een tekening te maken, maar die ook nog te verwerken in een kijkdoos. Ik gokte erop dat zo'n mooie kijkdoos, als niemand anders tenminste op hetzelfde idee was gekomen, zou opvallen tussen de gewone tekeningen en dat mijn vondst hopelijk een tent waard zou zijn.

23 april om kwart over elf 's ochtends stond de bekende televisiepresentator Mike bij ons voor de deur, vergezeld van een cameraploeg van de lokale televisie.

„Gefeliciteerd," zei Mike en hij drukte de microfoon onder mijn neus.

Ik was alleen thuis en druk aan het studeren in een poging over te gaan naar het eindexamenjaar van het VWO. Het overviel me allemaal nogal, dus stond ik maar een beetje stom te grijnzen.

„Jij ook gefeliciteerd," zei ik uiteindelijk als een verstrooide professor. Ik had nog steeds geen flauw benul waarvoor ze kwamen. Even dacht ik dat er een grap met me werd uitgehaald voor een of ander komisch televisieprogramma.

„Jij bent toch Rutger Gregorius, vijftien jaar oud?"

Ik knikte.

„En jij hebt een kijkdoos ingezonden voor de 'Alles schoon in een wip'-tekenwedstrijd?" vroeg Mike.

„Ja, dat klopt. Heb ik een prijs gewonnen?" vroeg ik.

Mike knikte.

Ik maakte een sprong van vreugde, zoals een goede prijswinnaar dat op tv behoort te doen.

„Wat denk je dat je gewonnen hebt?" vroeg Mike. De microfoon werd bijna in mijn neus geduwd.

„Een tent?" gokte ik hoopvol.

„Nee, iets veel groters!" zei Mike.

„Een grote tent?" vroeg ik onnozel.

Mike schoot in de lach en ook de cameraman kon zijn camera niet stilhouden.

„Je hebt de eerste prijs gewonnen!"

„Wauw!" riep ik en gaf Mike een hand om hem te bedanken. Dit allemaal nog steeds zonder te weten wat ik gewonnen had.

„De winnaar van de tekenwedstrijd krijgt een reis naar Spanje voor drie personen."

„Dat zullen mijn vrienden leuk vinden!" riep ik enthousiast.

„Hoe bedoel je?" vroeg Mike.

„Nou, ik zou met mijn twee vrienden naar Texel gaan, maar dat wordt nu Spanje!"

„Je hebt een tekenwedstrijd gewonnen voor kinderen tot en met vijftien jaar. De vakantie die je wordt aangeboden is voor jou en je ouders. Je bent nog minderjarig en eh..." Mike stopte met praten en draaide zich om naar de cameraman. „Misschien moet dit stukje er even tussenuit. Waar kunnen we het oppakken?"

De cameraman liet zijn camera zakken en krabde op zijn hoofd.

„Je wilt dat met die vrienden er niet in?" vroeg de cameraman.

„Nee, dat is te verwarrend," zei Mike.

„O, dan weet ik het. Mike, als jij nu zegt: 'Je wint een geweldige reis naar Spanje voor drie personen,' dan kan Rutger reageren met: 'Goh, wat zullen mijn ouders dat geweldig vinden.'"

„Ja, dat is goed," zei Mike. „Heb je het gehoord?" vroeg hij aan mij.

Ik knikte.

„Ik draai alweer," meldde de cameraman.

„Je hebt een geweldige reis naar Spanje gewonnen voor drie personen."

„Goh, wat zullen mijn ouders dat geweldig vinden," zei ik enthousiast.

De cameraman stak zijn duim omhoog.

„Je gaat met je ouders met het vliegtuig naar Málaga en daar staat een auto voor jullie klaar. Dan rijden jullie naar het mooiste hotel van Marbella en daar mogen jullie twee weken genieten. Jullie eten in de lekkerste restaurants en voor allerlei verrassingen wordt gezorgd. Dit wordt aangeboden door 'Alles schoon in een wip'."

Een fotograaf van de plaatselijke krant schoot een paar plaatjes en een mevrouw van het Spaans verkeersbureau overhandigde me een certificaat waarop in sierlijke letters de reis voor drie personen naar Spanje stond beschreven.

De hele stoet vertrok en ik bleef alleen achter. Ik kreeg eerst de slappe lach en het lukte me de rest van de dag ook niet meer om geconcentreerd mijn huiswerk te maken.

Toen mijn moeder thuiskwam, vertelde ik haar niets. Ik ben nogal een fantast, dus ook al zou ik het certificaat laten zien, ze zou me niet geloven en denken dat ik een of andere grap met haar uithaalde.

Ik moest toch even wennen aan het idee dat ik geen tent had gewonnen en dat ik dit jaar niet met mijn vrienden naar Texel zou gaan. Maar voor niks naar Spanje leek me ook geweldig. Ik was er nog nooit geweest. Volgend jaar kon ik altijd nog met mijn vrienden op vakantie gaan.

Ik wachtte tot mijn vader thuis was en we met z'n drieën aan tafel zaten. Ik had de tv aangezet.

„Waarom zitten we onder het eten naar de tv te kijken?" vroeg mijn vader.

„Ik wil jullie wat laten zien," zei ik.

„Rutger doet de hele middag al een beetje geheimzinnig," merkte mijn moeder op.

Ik had geen idee hoe laat ik op tv zou komen, maar het nieuws uit de regio was begonnen en ik vermoedde dat mijn stukje daarbij zat.

Opeens stond ik in beeld. Mijn vader verslikte zich in een stukje aardappel. Ook was er een prachtig shot van mijn kijkdoos, die door de directeur van 'Alles schoon in een wip' onder luid applaus aan de werknemers van het bedrijf werd getoond.

„Goh, wat zullen mijn ouders dat geweldig vinden," hoorde ik mezelf zeggen.

Mijn moeder kreeg tranen in haar ogen. „Ik vind het zo lief dat je meteen aan ons denkt," zei ze ontroerd.

Ik had mijn ouders niet blijer kunnen maken dan met deze twee weken gratis naar Spanje. Ze waren dit jaar niet van plan geweest om op vakantie te gaan, omdat ze pasgeleden een huis hadden gekocht. En het geld was op.

Hoofdstuk 2

„Rutger, heb jij genoeg ingepakt?" vraagt mijn moeder als ze twee grote koffers in de gang neerzet.

„Ja, ma."

Mijn moeder kijkt verbaasd naar mijn ene koffertje. „Is dat alles?"

„Ja, ma."

„Tennisracket?"

„Als ik ga tennissen hebben jullie vast wel een extra racket voor me."

Mijn moeder knikt en tilt mijn koffertje even van zijn plaats. „Weet je dat mijn beautycase alleen al veel zwaarder is dan jouw koffer? Ik wou dat ik ook aan één koffertje genoeg had."

„Waarom doe je dat dan niet?"

„Dat kan alleen maar als je jong bent. Vroeger had ik aan een rugzakje genoeg en trok ik heel Europa door. Zie je mij nu nog met een rugzak?"

„Nee," zeg ik eerlijk.

De zon schijnt als we weggaan en dat is jammer als je naar een zonnig land gaat. Gelukkig is de weersverwachting voor Nederland voor de komende dagen slecht.

Op Schiphol laden we twee karretjes vol met koffers. Bij de incheckbalie blijken we 'overgewicht' te hebben.

„De grootste koffers zijn van mijn vrouw," zegt mijn vader tegen de dame achter de balie. „U kunt er gerust één hier laten staan, dan nemen we die op de terugweg weer mee naar huis. Ze kan toch niet alles aan wat erin zit."

„Doe niet zo flauw," roept mijn moeder. Ze slaakt een dramatische zucht en draait zich om naar de rij wachtende passagiers.

„Mijn man is altijd een beetje traag met inchecken," zegt ze alsof ze dagelijks met het vliegtuig gaat. „Neem het hem maar niet kwalijk, want dat doen wij ook niet."

Dat is nou typisch mijn moeder. Waar ze ook komt, mijn moeder doet net alsof ze in een toneelstuk speelt. Vroeger ergerde ik me daaraan. Mijn vader daarentegen is het relaxte type. Hij lacht om haar theatrale gedrag en heeft haar ook altijd snel op de kast. Ik denk dat ik het meest op mijn vader lijk.

„Als ons vliegtuig straks wat langzaam van de startbaan loskomt, dan weet je waaraan het ligt," zegt hij tegen mijn moeder.

„Hoezo?" Mijn moeder kijkt verschrikt.

„Wij hebben echt veel te veel bagage."

„Heeft dat zo'n invloed?"

Mijn vader knikt. „Nu ze weten dat jij met je bagage in het vliegtuig zit, nemen ze startbaan XXL."

Nu kent mijn moeder mijn vader toch al zo'n achttien jaar en nog laat ze zich door hem voor de gek houden. Ze kijkt hem vragend aan.

„XXL is extra, extra lang," verklaart hij met serieuze stem.

„Alstublieft, hier zijn de instapkaarten. U zit naast elkaar en helemaal voor in het vliegtuig. Om twaalf uur vijftien moet u bij gate B54 zijn om in te stappen. En u hoeft voor uw overgewicht niet extra te betalen, dat neemt de sponsor voor zijn rekening."

Vlak voordat we aan boord gaan, worden we gefotografeerd met de hele crew. Dat is voor de krant, want de wasmiddelenfabrikant wil laten zien dat hij woord houdt en dat de eerste prijs ook echt wordt weggegeven. Ook de dame van het Spaans verkeersbureau is er en ze wenst ons een goede reis.

„Ik ken een man die niet in een auto durfde te rijden omdat hij doodsbang was voor een ongeluk," zegt mijn vader tegen mij als het vliegtuig los is van de startbaan.

Ik zit aan het raam en mijn moeder zit tussen ons in.

„Wie dan?" vraag ik.

„Dat doet er niet toe, maar hij weigerde in een auto te stappen, want hij voelde dat dat hem noodlottig zou worden. Toen hij zo oud was als ik nu, en zijn hele leven uit auto's was gebleven, stapte hij toch in een auto en dat werd meteen zijn dood. Ze reden frontaal op een vrachtwagen."

„Typisch je vader," zegt mijn moeder tegen mij met overslaande stem, „waar gáát dit verhaal in hemelsnaam over!"

„Over een man die bang was dat hij dood zou gaan als hij in een auto zou stappen."

„Maar wat wil je ermee zeggen?"

„Dat de kans heel groot is dat je doodgaat aan waar je doodsbang voor bent."

„Wat een onzin," zegt mijn moeder.

„Dat is juist geen onzin. Mensen met grote vliegangst stappen, als ze uiteindelijk toch gaan vliegen, in een vliegtuig dat neerstort."

Mijn moeder wijst op haar voorhoofd. „Je zou toch zweren dat er daarboven een schroefje loszit bij je vader."

„In dat geval hoop ik dat er niemand met vliegangst in dit vliegtuig is gestapt," zeg ik.

„Als dat toch zo is, storten we neer," antwoordt mijn vader droog.

„Willen jullie onmiddellijk ophouden met die onzin!" De stem van mijn moeder slaat over.

Ik heb met haar te doen, want ze heeft inderdaad vliegangst. Ze wil het niet laten merken, maar de paar keren dat ze gevlogen heeft, waren voor haar geen pretje.

Als de wielen inklappen, kijkt ze onrustig om zich heen.

„O jee," is de plagende reactie van mijn vader.

„Wat is er?"

„De wielen worden ingeklapt, nu kunnen we niet meer landen als ze vast blijven zitten."

Mijn vader buigt zich voor mijn moeder langs naar mij toe. „Drie rijen achter mij zit een man die overmatig zweet, doodsbang kijkt en al twee keer heeft overgegeven. Zou hij last van vliegangst hebben?"

Mijn moeder duwt hem terug in zijn stoel en kijkt hem vernietigend aan.

„Angstgevoelens," zegt mijn vader, „moet je nooit onderschatten. Bij het stierengevecht bijvoorbeeld is het..."

„Ik ga niet naar een stierengevecht, als je dat soms bedoelt," onderbreekt mijn moeder hem fel.

Mijn vader grinnikt. „Er zijn al kaartjes geregeld, dat zit bij de prijs inbegrepen."

„Ik geloof er niets van."

„Ik zou tegen jou nooit durven jokken, hartje van me."

„Ik ben nu even je 'hartje van me' niet." Mijn moeder sist vanuit haar mondhoek mijn vader zachtjes toe, want de stewardess komt op ons af.

„Wilt u een kopje koffie?" vraagt ze.

„Graag," zegt mijn vader. „U maakt me erg gelukkig," voegt hij eraan toe. Mijn moeder ergert zich aan zijn overdreven gedrag.

„U een kopje koffie, mevrouw?" Het liefst wil mijn moeder uit dwarsheid 'nee' zeggen, maar er komt toch een benepen 'ja' uit haar mond, omdat ze een koffieleut is.

Ik vraag om een cola en de stewardess draait zich om om een blikje te pakken. Ze moet zich bukken. Mijn vader kijkt naar haar achterwerk en knipoogt vervolgens naar mij.

Dit ontgaat mijn moeder niet. „Ben ik soms met twee oversekste pubers op stap?"

„Ik doe niks!" protesteer ik.

„Maar jij bent een puber en je vader is altijd in die levensfase blijven steken. Hebben we echt kaartjes voor een stierengevecht gekregen?" vraagt ze dan.

„We hebben drie plaatsen aan de rand van de ring, aan de kant van de eretribune. Als jij niet mee wilt, gaan Rutger en ik wel alleen." Dit is precies de juiste toon om mijn moeder mee te krijgen, want ze heeft er een hekel aan om buitengesloten te worden en dat weet mijn vader donders goed.

„Dus je hebt die kaartjes al gekregen?"

„Ja, dat vertel ik je net, voor aanstaande zondag in Puerto Banus."

„Morgen al?" reageer ik verrast.

„Ja, als het vandaag zaterdag is, dan is het morgen zondag. Ook in Spanje! Nou, nou, ik ben wel met familie Simpelmans op vakantie, zeg."

„Maar een stierengevecht is toch afschuwelijk." Mijn moeder praat zo hard, dat andere passagiers naar haar kijken.

„Als je het afschuwelijk vindt, blijf je toch gewoon in het hotel? Rutger en ik gaan in ieder geval kijken en mochten wij het ook niet leuk vinden, dan gaan we er nooit meer heen. Maar ik vind dat je het toch een keer gezien moet hebben, al is het alleen maar om er goed over te kunnen oordelen."

Ik knik instemmend.

Mijn moeder haalt haar schouders op en slaakt een dramatische zucht die rijen verder te horen is en die een steward doet besluiten om haar te vragen of alles in orde is.

„Ik zou graag een glas water willen hebben," zegt ze op een toon alsof het haar laatste wens voor het vuurpeloton is.

„Het is niet zomaar een stierengevecht," gaat mijn vader

verder. „Nee, het is heel bijzonder omdat er een vrouwelijke stierenvechter in de ring verschijnt. Ze is jong, mooi, erg goed en wereldberoemd."

„Wereldberoemd, zei je?"

„Nou ja, wereldberoemd in Spanje dan."

Eigenlijk ben ik tegen stierenvechten, maar ik vind het toch wel leuk om eens een kijkje te nemen in een echte Spaanse arena. Dan kan ik met eigen ogen zien hoe gemeen ze de stier te grazen nemen.

„Hoe heet ze?"

„Eh, haar naam is me even ontschoten. De hele map met gegevens over waar we allemaal zijn uitgenodigd zit in mijn koffertje." Mijn vader staat op, haalt zijn koffertje uit het bagagerek en haalt er een pakket folders uit.

„Dit heeft die dame van het Spaans verkeersbureau me gegeven. Het zijn allemaal papieren waarin staat waar we kunnen eten en wat we kunnen gaan bezoeken. De stierenvechter heet Angela Sanchez," leest mijn vader uit de map die op zijn schoot ligt.

De rest van de reis bekijken we wat we krijgen aangeboden en beseffen dat het allemaal wel erg leuk is. In een zeer goede stemming landen we uiteindelijk veilig en wel op het vliegveld van Málaga, waar het inmiddels is gaan regenen.

„Dat hebben wij weer," zegt mijn vader, terwijl hij naar buiten kijkt. „Hollandse regen."

In de hal van het vliegveld halen we de papieren en de sleuteltjes van de huurauto op.

De auto staat in vak 125. In een tropische regenbui gaan we gedrieën op zoek. De man van de autoverhuur die over de parkeerplaats gaat, zit droog achter zijn loket. Als verzopen katten staren wij hem aan.

De Spanjaard tovert een stralende glimlach op zijn besnorde gelaat. „It is raining," zegt hij in zijn beste Engels.

„Deze man ontgaat ook niets," zegt mijn vader droog, ondanks alle nattigheid. „We are looking for car one two five?"

„The special car. Follow me," zegt de man en geeft mijn vader en mij elk een paraplu. Voor mijn moeder houdt hij zelf een paraplu op en zo begeleidt hij ons naar de auto.

We vergapen ons aan de Amerikaanse slee die voor ons klaarstaat.

„Van zo'n auto heb ik altijd gedroomd," zegt mijn vader met schorre stem.

„Zal ik dan maar rijden, dan kun je rustig verder dromen," zegt mijn moeder.

„Nee, ik rij!" zegt mijn vader snel, en hij zit al achter het stuur.

„Elektrisch verstelbare stoelen en airconditioning!" roept hij enthousiast.

Mijn moeder en ik kijken elkaar aan.

„Het blijft een kind," zegt mijn moeder.

De regen komt nog steeds met bakken uit de lucht. Mijn vader start de motor.

„Voordat je wegrijdt, roept mijn moeder, „is het misschien een idee om eerst de koffers in te laden."

Hoewel het een grote slee is, zit ik toch in de verdrukking op de achterbank omdat niet alle koffers in de bak passen. De ruiten blijven beslagen omdat we alle drie kletsnat zijn, zodat we gedurende de reis naar het hotel niet veel van Spanje zien. Ik veeg het raampje schoon en zie een stukje Middellandse Zee. Het water ziet er grijs en grauw uit, het doet me denken aan een troosteloze dag in IJmuiden.

We staan stil op de kustweg, links de zee en rechts het land.

„Wat is er aan de hand?" vraag ik vanaf de achterbank.

„Er zijn twee auto's op elkaar gebotst."

Ik probeer door de voorruit te zien wat er is gebeurd, maar ik kan door de koffers niet langs de hoofdsteun van mijn vader heen kijken.

„Is het ernstig?"

„Nee, er is wat blikschade. Er staat een vrouw op een man te schelden. Die man is achter op haar auto gereden."

„Dat is een hele felle Spaanse en ze is nog mooi ook," zegt mijn moeder.

„Och, ik heb het niet zo op Spaanse vrouwen," merkt mijn vader op.

„Rij dan maar door," zegt mijn moeder.

De auto zet zich in beweging. We passeren de plaats van de aanrijding, maar ik zit aan de verkeerde kant en door de koffers kan ik nog steeds niet zien wat er gebeurd is.

Als we bij het hotel aankomen klaart het weer gelukkig op. De bagage wordt op een golfkar naar de kamers gereden, net als wij.

Hoofdstuk 3

We zijn alle drie sprakeloos over wat we zien. Tussen de palmen staan de prachtigste huizen en wij hebben het mooiste appartementengebouw vlak aan het strand. Het is een gebouw dat zo in een Indiana Jones-film kan. Een luxe junglehuis met grote terrassen en dat allemaal ook nog met uitzicht over zee.

De man van het hotel gaat ons voor en we lopen als in een droom achter hem aan.

Ik dacht dat we met z'n drieën in één appartement zouden zitten, want er is ruimte genoeg. Maar ik zit in een appartement onder mijn ouders, met eigen opgang, een gigantisch balkon, een zitkamer met tv, een slaapkamer met hemelbed plus weer een tv en een badkamer waar de koningin jaloers op zou zijn, ook met tv. Dit is echt heel wat anders dan een tentje op Texel.

Een uur lang hebben we met z'n drieën alleen maar rondgelopen.

„Het is alsof we in een film spelen," merkt mijn moeder op.

„Ik voel me net James Bond," zegt mijn vader.

Als ik alleen ben, trek ik volkomen gelukkig mijn kleren uit en neem een douche. Het water komt van boven en van opzij. Er liggen vier heel grote handdoeken, waarschijnlijk voor de hele week. Er hangen twee dikke, botergele badjassen voor me klaar met een kaartje waarop ik de complimenten van het hotel krijg. Als dit geen luxe is, dan weet ik het niet meer.

Ik pak een cola uit de minibar en loop het balkon op. Ik kijk uit over de zee. De zon is doorgebroken en alles ziet er hemels uit. Het is duidelijk niet voor niets dat ze het hier de zonnekust noemen, de Costa del Sol. Als ik recht voor me uit kijk, moet daar Afrika liggen en rechts is de Straat van Gibraltar en begint de Atlantische Oceaan.

„Dag, Rutger," klinkt het van boven. Mijn vader lacht en buigt zich ver over de leuning van het balkon boven mij, zodat hij mij kan zien. Hij heeft ook een badjas aangetrokken.

„Hoeveel badjassen hebben jullie?" vraag ik.

„Twee."

„Ik ook."

„Wat is het hier mooi, hè?"

„Het is hier dik in orde."

„Zullen we op het strand gaan voetballen?" vraagt mijn vader.

„Moeten we niet eten?"

„Het is pas half zes. Ze eten hier in Spanje om een uur of negen."

„Oké!"

We maken kleine doelen van zand en mijn vader wint met twintig-vijftien. Ik ben daar behoorlijk kwaad over, want ik kan slecht tegen mijn verlies.

Mijn moeder kijkt toe vanaf het balkon met een glas champagne in haar hand.

„Aangeboden door de directie van het hotel!" roept ze. „Proost!" Ze zwaait vervaarlijk met het glas in de lucht.

„Ik hoop dat ze niet te overmoedig wordt," zegt mijn vader. „Ik zie de krantenkop al voor me: Hollandse vrouw valt dronken van balkon op eerste vakantiedag."

Wij zwaaien terug en beduiden haar te gaan zitten.

„Ik ben niet dronken, hoor!" roept ze met haar luide toneelstem.

„Dat zegt iedereen die dronken is," mompelt mijn vader. „Laten we maar naar boven gaan, voordat je moeder een derde wereldoorlog ontketent."

Een half uur later lopen we naar het restaurant waar een tafel voor ons gereserveerd is. Het is er verschrikkelijk chic. De obers buigen als knipmessen en je stoel wordt iedere keer aangeschoven als je maar even opstaat. We krijgen champagne aangeboden om het begin van de vakantie feestelijk in te luiden. Mijn ouders hebben liever niet dat ik drink, hoewel ze best weten dat er op feestjes wel wat bier gedronken wordt. Maar omdat ik de vakantie heb gewonnen, doen ze niet moeilijk.

Al snel voel ik de alcohol naar mijn rozige hoofd stijgen.

Als we wat aangeschoten terug wandelen naar ons onderkomen, vinden we alle drie dat we deze avond zwemmend moeten besluiten. We trekken onze zwemkleding aan en nemen de bal mee in het water. We gaan lummelen. Mijn moeder is de meeste tijd de lummel en als we uiteindelijk rillend van de kou de handdoeken omslaan, zijn we alle drie weer redelijk nuchter.

„Morgen gaan we naar het stierenvechten," zegt mijn vader. „Ik verheug me er nu al op."

Hoofdstuk 4

'Sensacional Corrida de Toros' staat er op de affiches waarmee de stad is vol geplakt. Ik zit nu zonder koffers op de ruime achterbank van de luxe auto en laat mij rijden als een vorst. Het is al laat in de middag. Ik dacht aanvankelijk dat een stierengevecht net zoiets was als een voetbalwedstrijd en om een uur of twee zou beginnen, maar zo'n gevecht vindt altijd vlak voor zonsondergang plaats.

Met mijn Spaans gaat het uitzonderlijk goed. Ik heb op het vliegveld een handig boekje op de kop getikt: 'Hoe Zeg Ik Het In Het Spaans?' Ik heb al geleerd dat een 'toro' een stier is.

'Corrida' betekent gevecht en 'El Cordobes Angela Sanchez' staat voor 'De Corduaanse Angela Sanchez'. Bovendien is er op het affiche sprake van 'bravos toros' en dat houdt in dat Angela de strijd aangaat met dappere stieren.

Mijn vader heeft zijn zomerpak aan en mijn moeder draagt een jurk alsof ze een rol in een operette moet spelen. Het is klasse wat ze aanheeft, dat wel, maar ze kleedt zich altijd iets te overdreven. Ik heb zelf een zwarte spijkerbroek aangetrokken, met daarboven een zwart overhemd.

'El cartel mas atractivo del verano' lees ik op het affiche als we in de rij staan om binnengelaten te worden. Ik zoek het op in mijn boekje. 'El cartel' is het gevecht en 'verano' is de zomer. Het meest attractieve gevecht van deze zomer. Dat belooft wat.

Ik ben toch een beetje zenuwachtig voor wat ik aan wreedheden te zien zal krijgen. Ik wil later dierenarts worden en een stierenvechter is zo'n beetje het tegenovergestelde. Ik ben ook geen held met dieren ombrengen; ik kan niet eens een vlieg doodslaan. Vorig jaar zag ik vanuit de auto een moederzwaan met jongen langs de kant van een drukke weg staan. Ze waren duidelijk van plan over te steken. Nu breekt het angstzweet me nog uit bij het idee dat die beesten overreden zouden kunnen zijn.

We zitten op de voorste rij aan de ring, naast de eretribune, waar de notabelen van de stad met hun vrouwen plaats hebben genomen. Mijn vader heeft een koelbox met champagne meegebracht en schenkt de glazen vol. Ik houd het bij cola.

„Op een geweldige vakantie!" We proosten. Ik neem een handje ijskoude pinda's die mijn vader ook in de koelbox heeft gestopt.

We krijgen eerst een optocht te zien van iedereen die een rol speelt in het gevecht. Het is een vrolijke, kleurige parade. Twee meisjes op paarden rijden aan het hoofd van de stoet.

„Dat zijn Andalusische paarden waar die meisjes op rijden," legt mijn vader uit. „Die paarden zijn van hier. In de Spaanse rijschool in Jerez de la Frontera wordt er gedemonstreerd wat ze allemaal kunnen. We zouden daar van de week naartoe kunnen gaan, als we zin hebben."

„We mogen wel een agenda aanschaffen voor deze vakantie," zegt mijn moeder.

Aan het eind van de bonte stoet rijden mannen op geblinddoekte paarden, die ingepakt zijn in een soort dikke, gewatteerde dekens.

„Dat voorspelt niet veel goeds," zeg ik.

„Wat niet?" vraagt mijn vader.

„Die geblinddoekte paarden."

„Die paarden mogen de stier niet zien, anders worden ze bang en slaan ze op hol."

„Maar wat is de bedoeling van die beschermdeken?"
„Dat zie je straks wel. Kijk, daar loopt ze!"
„Wie?"
„Angela." Mijn vader spreekt haar naam uit alsof ze een bekende van hem is.
Er lopen wat mannen in typische stierenvechterskleding en ik heb pas later door dat het mooie meisje in het midden Angela Sanchez moet zijn. Ze groet het publiek en lacht daarbij heel vrolijk. Ze is gekleed in een strakke kuitbroek en de kleur paars overheerst.
„Wat een prachtige vrouw," zegt mijn vader.
„Het zou je dochter kunnen zijn, lieveling."
Ik schud mijn hoofd. Onbegrijpelijk dat zo'n mooie meid het lef heeft om haar schoonheid in de waagschaal te stellen door met een stier de strijd aan te gaan.
„Hoe oud is ze?"
„Ze schijnt pas achttien te zijn," zegt mijn vader. „Ietsje te oud voor jou," grinnikt hij.
„Dan ga je voorbij aan het feit dat ik drie jaar ouder ben dan jij, lieveling," merkt mijn moeder op.
„In dat geval, Rutger mijn zoon," zegt mijn vader op overdreven plechtige toon, „heb je toch nog een kans haar de jouwe te maken, samen met nog een paar miljoen Spanjaarden. Want zij is de meest begeerde vrouw van dit land. Je zou mij een enorm plezier doen met zo'n schoondochter."
„Ze heeft dus nog geen vriend?"
„Nee, ze woont nog thuis en wordt heel erg van de buitenwereld afgeschermd. Ze schijnt nogal kinderlijk te zijn, want ze speelt nog met poppen."
„Daar geloof ik niets van," zegt mijn moeder.
„Het is echt waar," zegt mijn vader. „En ik weet ook dat ze een keer gewond is geraakt door een stier die met zijn

hoorn haar ellebooggewricht doorboorde. Toen heeft ze een week niet kunnen stierenvechten."

„Dan was ze precies op tijd beter voor het volgende gevecht," concludeert mijn moeder.

„Hoe bedoel je?"

„Ze doet toch elke zondag zo'n gevecht?"

„Nee, het schema is niet zo suf als onze voetbalcompetitie. Die Angela heeft een razend druk programma. Net als alle goede stierenvechters leidt ze een leven als een popster. Elke dag moet ze optreden. Na een gevecht rijdt ze met haar ploeg naar de plaats van het volgende gevecht. Ze gaat dan naar het hotel, slaapt tot de middag, luncht, kijkt wat televisie en dan begint het aankleden, de voorbereidingen voor het gevecht en dan moet ze op. Ze doodt een drietal stieren om vervolgens naar de volgende plaats af te reizen."

„Is het echt nog zo'n kind? Zo ziet ze er niet uit," merk ik op.

„Het is echt waar, ze heeft de kamer van een meisje van twaalf. Ze was zeventien toen ze van de stierenvechtersschool in Madrid kwam en in één jaar is ze een beroemdheid geworden en is ze van nieuweling gepromoveerd tot een volledige 'matador de toros'. Dat houdt in dat andere stierenvechters, voornamelijk mannen, haar als een volleerd stierenvechter erkennen."

„Dat dat kan in zo'n macho-land als Spanje," merkt mijn moeder terecht op.

„Niet al haar mannelijke collega's schijnen blij met haar te zijn, maar haar kwaliteit als stierenvechter staat buiten kijf. Als een erkend matador de toros mag je tegen de grootste en sterkste stieren vechten, in de beste arena's van het land."

„Hoe weet je dat allemaal?" vraag ik, onder de indruk van alle kennis die mijn vader zo achteloos tentoonspreidt.

„Dat zal ik je vertellen," zegt mijn moeder. „Gisteravond

kwam hij het bed niet in, maar las alle informatie over Angela Sanchez."

„Dat moet jij ook lezen, Rutger," zegt mijn vader. „Er lag in ons appartement een heel boekwerk over Angela Sanchez en ook de geschiedenis en de spelregels van het stierengevecht." Mijn vader haalt diep adem en schreeuwt: „Angela!"

Mijn vader grijnst en zwaait uitbundig naar Angela die onze richting op kijkt.

„Zo heeft je vader mij nog nooit geroepen," zucht mijn moeder.

„Weet je wat haar specialiteit is?" Mijn vader gaat onverstoorbaar door met het spuien van zijn kennis.

„Nee, wat?" vraag ik terwijl ik Angela volg, die te midden van de optocht de ring weer verlaat.

„Angela Sanchez toont emotie op haar gezicht tijdens het vechten, dat doen de meeste mannelijke stierenvechters niet. Ook weet ze feilloos die kleine plek tussen de schouders van de stier te vinden waar het hart zit, om het beest aan het einde van het gevecht met een dun zwaard in één steek te doden."

De arena is leeggestroomd. Aan de overkant van de tribune speelt een orkest uitbundige muziek. Plotseling is het stil. De trompet speelt het bekende stierenvechtersdeuntje en twee houten deuren aan de binnenkant van de arena worden opengeslagen. Uit een donkere tunnel komt een briesende stier. Hij zweet, de damp slaat van hem af en hij kijkt woest om zich heen. Wat een kracht en wat is hij groot! De stier is terecht woedend, want in zijn rug heeft men al een rozet geprikt. Als een furie rent hij de ring door, op zoek naar iets of iemand.

Het publiek klapt en juicht.

De stier schraapt met zijn poot over de grond, kop omlaag, en valt het publiek aan. Hij komt niet verder dan de houten ringrand.

„De stier reageert op dat rode truitje van die mevrouw, wat enig!" Mijn moeder klapt verrukt in haar handen.

„Nee, dat komt niet door de rode kleur," zegt mijn vader, de stierenspecialist. „De stier reageert op beweging, niet op kleur."

„Met een geel doekje kan het dus ook?"

„Ja, een stier ziet zwart-wit."

De stier wordt inmiddels afgeleid door een paar mannen in stierenvechterspakken die met paarse doeken de stier uitlokken en als die achter hen aanrent, springen ze snel achter de houten beschutting rond de ring. Een van de mannen struikelt over zijn eigen voeten en wordt bijna door de stier op de hoorns genomen. Het publiek vindt het geweldig en ik moet zeggen dat ik het ook niet erg zou vinden als de stier een van zijn pestkoppen een stoot zou geven.

„Ik dacht dat Angela Sanchez met de stier zou gaan vechten, hoe zit dat?" vraag ik mijn vader.

„Dit zijn de banderillero's," legt mijn vader uit. „Zij warmen de stier wat op. Angela Sanchez is de matador oftewel de torero, zij komt zo."

Nadat er zo een tijdje kat-en-muis is gespeeld, verschijnt inderdaad Angela Sanchez in de ring.

„Matadora!" roept een man vóór mij.

„Dit is de eerste ronde. Ze test de stier."

Ze heeft een rode doek, die aan de bovenkant verstevigd is. Ze zwaait met haar doek, de stier komt op haar af rennen en op het laatste moment doet ze een stap opzij. De stier dendert onder de doek door.

„Olé!" roept het publiek.

,,Dat noemen ze een muleta," schreeuwt mijn vader in mijn oor.

„Wat?"

„De rode doek waarmee ze de stier voor het lapje houdt, heet een muleta."

De stier draait zich om en valt weer aan. De olés zijn niet van de lucht. Angela draait en draait en maakt prachtige bewegingen met haar doek. Ze heeft een trotse houding, en lacht als ze tevreden is over een actie en kijkt geconcentreerd als de stier op haar afkomt.

„Zie je die uitdrukkingen op dat mooie gezicht?" roept mijn vader lyrisch.

„Ja, ik zie het!" schreeuw ik terug.

„Olé!" roept mijn vader samen met het publiek. Er volgen zes olés op een rij.

Ik begrijp nu waarom de kleding van de stierenvechter zo strak zit: de hoorns van de stier gaan rakelings langs haar heen en als die aan de kleding zouden blijven haken, is dat dodelijk.

Opeens keert Angela Sanchez de stier de rug toe en loopt met een triomfantelijke lach op het gezicht, zonder op het beest te letten, rustig weg onder luid gejuich van het publiek.

Waarom de stier nu niet aanvalt, snap ik dus niet. Hij had nu de gelegenheid om haar zo in haar kont te prikken.

„Waarom valt die stier nu niet aan?" vraag ik aan mijn vader.

„Dat is psychologie: de stierenvechter kiest het goede moment om de stier de rug toe te keren, nadat hij hem flink moe heeft gemaakt. Schat hij de stier verkeerd in, dan valt hij hem aan in de rug en dan is hij nog niet jarig. Dit is heel knap van die meid, dat ze dat al in deze fase met de stier durft te doen."

„Heb je dat ook ergens gelezen?"

„Nee, dat verzin ik nu ter plekke. Vind je het niet aannemelijk klinken?"

Ik knik en zie dat mijn vader een rode kop van opwinding heeft.

De stier kijkt met grote, niet-begrijpende ogen om zich heen. Het is alsof hij zeggen wil: is er dan niemand die mij helpt?

„Wat zielig," zeg ik vol medelijden.

Het publiek juicht en klapt.

„Watje," zegt mijn vader, terwijl het geblinddoekte paard met ruiter de ring binnengebracht wordt. „Daar komt de picador," roept mijn vader alsof het de gewoonste zaak van de wereld is.

De stier valt aan. Het paard wordt op de hoorns genomen

en bijna opgetild. Nu begrijp ik waarom het beest zo'n beschermende gewatteerde deken om heeft en waarom het geblinddoekt is. Als het paard zou zien dat er een stier op hem af kwam, zou het niet blijven staan.

De stier doet verwoede pogingen om door de beschermlaag heen te komen. De ruiter, die een soort platte dophoed op zijn hoofd heeft, begint met zijn lans in de rug van de stier te steken. Er ontstaat een groot gat waar het bloed als een fonteintje uit spuit.

Ik ben verbijsterd. Ik had me op zijn minst wat beter moeten voorbereiden over wat ik aan wreedheden te zien zou krijgen. Ik voel me misselijk worden. Ik kijk om me heen en zie een razend enthousiaste menigte. Ben ik dan de enige die hier moeite mee heeft? Het is de wereld op zijn kop: in Nederland is iedereen tegen en hier lijkt iedereen vóór het stierenvechten. Ik heb nu medelijden met de stier én met het paard.

Ik sluit mijn ogen.

„Let op die banderillero!" schreeuwt mijn vader. „Dat is een oudje."

Ik kijk en zie dat het paard in elk geval de ring heeft verlaten.

„Dat oudje is ongeveer even oud als jij, schat," plaagt mijn moeder.

Ik zie tot mijn ontzetting dat een man met twee gekleurde barbecuespiesen, die hij hoog boven zijn hoofd houdt, op de stier af rent en de scherpe punten in de al zo gemartelde rug van het dier plant. De stier probeert de man op zijn hoorns te nemen, maar die ontwijkt het dier handig en verdwijnt veilig achter de beschutting, waar de stier niet kan komen.

„Wat zo moedig is van een banderillero, is dat hij zonder doek en alleen met twee spiesen op de stier af moet!"

Moedig? Ik noem het een stiekeme stinkstreek. Even snel twee pennen in de rug van een stier prikken en dan hard weglopen en je verschuilen. Als die banderillero een echte man was, bleef hij op zijn minst even staan. De stier kijkt hem dan ook verbaasd na. 'Waarom doe je dat nou?' hoor ik hem denken.

De stier maakt een paar sprongen en probeert de pennen uit zijn rug te schudden. Eén pen valt eruit en het beest bloedt als een rund. Ik vind dit echt weerzinwekkend en wend mijn gezicht af. Ik zie dat mijn ouders gefascineerd toekijken.

Er verschijnt vanachter de beschutting nog een man met gekleurde pennen.

„Da's een jonkie, die moet het nog leren!" roept mijn vader.

Hij probeert wat onzeker de twee pennen in de rug van de stier te prikken. Wat er precies gebeurt weet ik niet, maar de man prikt mis, struikelt over zijn eigen voeten, gooit zijn pennen weg en zet het op een rennen met de stier achter zich aan. Het publiek joelt.

„Pak die klootzak!" moedig ik de stier aan. Maar op het moment dat de man op de hoorns genomen dreigt te worden, verschijnen er van alle kanten mannen met doeken om de stier af te leiden. Het stomme beest stopt de achtervolging en rent blindelings op een doek af.

De man van de verloren prikkers springt over de beschutting en de mannen met doeken zoeken ook een veilig heenkomen. De stier stoot met zijn hoorns tegen de houten beschutting. Het bloed kleurt zijn rug rood. Ik heb zo'n medelijden met hem dat ik wel kan janken.

Het orkest speelt een vrolijk deuntje.

„Wat zie je wit," merkt mijn vader op.

„Ik kan hier niet tegen."

„Kun je niet tegen een beetje bloed?"

„Ik kan er niet tegen dat die stier zo gemarteld wordt."

„Rutger heeft meelij met de stier en vindt het niet leuk," informeert mijn vader mijn moeder, die op de maat van de muziek meeklapt.

„Wil je dat we weggaan, Rutger?" vraagt ze.

„Willen jullie dan ook weg?"

Beiden schudden hun hoofd.

„Als ik er niet meer tegen kan, doe ik mijn ogen wel dicht." Ik vind het lullig dat ze om mij weg zouden moeten. Ik had ook totaal niet verwacht dat mijn moeder dit wrede spektakel leuk zou vinden.

„Zullen we echt niet weggaan?"

„Het gaat wel weer."

Angela Sanchez komt de ring in en lokt de stier naar zich toe. De stier heeft pijn en valt verbeten aan, maar hij weet Angela niet te raken. Vele olés volgen en op een bepaald moment buigt de stier tijdens een uitval zo diep naar beneden dat zijn hoorns in de grond blijven steken. Het ongelukkige dier slaat half over de kop.

„Verdomme, wat zielig!" Ik word echt kwaad op al die dierenbeulen hier.

„Niet vloeken, Rutger," zegt mijn moeder.

De stier gaat het hopeloze gevecht weer aan met de grootste dierenbeul Angela Sanchez. Met de tong uit zijn mond en het schuim op zijn bek rent hij vergeefs op de doek af. Zijn lichaam schuurt tegen dat van Angela, die nu onder de bloedvlekken zit.

Na enkele aanvallen loopt het dier weg en zakt door zijn poten. Onmiddellijk schieten van alle kanten mannen te hulp om het beest weer overeind te krijgen.

Als hij weer staat, lokt Angela hem nog een keer met haar doek. Met zijn bek wijdopen, tong eruit en hevig bloedend rent de stier op de doek af.

„Olé!" klinkt het uit alle kelen.

Angela gooit haar rode doek op de grond en gaat vlak voor de stier staan.

„Fantastisch!" roept mijn vader.

„Wat een lef!" voegt mijn moeder er zeker niet minder enthousiast aan toe. Nog geen tien centimeter scheidt haar buik van de hoorns van de stier. Angela spreidt haar armen en met haar handpalmen naar boven kijkt ze trots in het rond en lacht. Ze let niet eens meer op de stier, die vlak voor haar buik staat te hijgen. Angela pakt haar rode doek weer op en probeert de stier een reactie te ontlokken. Het beest valt opeens uit met een door merg en been gaande kreun en rent door de doek. Angela loopt weer op het beest af. Met haar linkerbeen voor en de doek achter zich zakt ze vlak voor het beest door de knieën en kijkt de stier recht in de ogen.

Het publiek is buiten zinnen en schreeuwt zich de kelen schor.

Angela daagt de stier weer uit door haar doek te bewegen. De stier valt aan, maar stopt vlak voor de doek. Hij wil eronderdoor kijken. Angela loopt naar de rand van de ring. Ze krijgt van een assistent een zwaard in haar handen gedrukt.

„Nee," kreun ik.

„Let op," schreeuwt mijn vader, „niemand kan dit beter! Er zijn wel eens torero's die een long raken, maar zij is zo secuur, zij steekt recht door het hart van de stier."

Het zweet staat op mijn voorhoofd. Mijn mond is droog en ik wil slikken, maar het lukt niet. Het is alsof die meid niet de stier, maar míj door het hart gaat steken.

Angela staat nu op drie meter afstand van de stier. Ze staat kaarsrecht met de voeten bij elkaar. Haar billen spannen zich. Schuin voor zich, in haar linkerhand, houdt ze de rode lap, die aan de onderkant op de grond hangt. In haar rechterhand houdt ze op kinhoogte het zwaard, dat horizontaal in de richting van de stier wijst. Ze schudt met de doek. De stier kijkt ernaar en valt aan. Gelijktijdig stapt Angela naar voren en steekt het zwaard tussen de schouderbladen van de stier.

„Aaaaah!" schreeuw ik en krimp ineen.

'Oeoeoef!' doet het arme beest en zakt door zijn poten. Er volgt een laatste stuiptrekking en de stier is dood.

Het publiek is in extase geraakt.

Ik sla mijn handen voor mijn gezicht, want ik wil niet dat iemand ziet dat mijn ogen vol tranen staan.

Hoofdstuk 5

Het duurt een hele dag voordat ik een beetje van de klap ben hersteld. Wat een nachtmerrie!

En dan te bedenken dat mijn ouders het 'een geweldige belevenis' vonden die ze voor geen goud hadden willen missen. Nou, ík ga voor geen goud ooit nog eens naar zo'n gevecht.

Vanavond heb ik er behoefte aan om alleen te zijn.

„Rutger, ga toch gezellig met ons mee! We hebben een kortingsbon voor een restaurant waar de asperges goddelijk schijnen te zijn. Of kun je er ook niet tegen als asperges een kopje kleiner worden gemaakt?"

O, o, wat een lol! Dat ik niet tegen stierenvechten kan, zal me waarschijnlijk mijn hele leven nagedragen worden.

„Gaan jullie maar, ik zie wel wat ik doe."

„Maar je hebt er toch niet de pest in?"

„Nee, ik heb gewoon geen zin om weer een hele avond te eten."

„Ik weet niet of we je wel alleen kunnen laten," zegt mijn moeder bezorgd.

„Ach, laat hem," zegt mijn vader. „Hij is zestien, hij kan best op zichzelf passen."

Een uur later wandel ik op blote voeten door de branding. Ik vraag me nog steeds af waarom ik als enige in die arena zo'n medelijden had met de stier. Zouden er nou helemaal geen andere mensen zijn geweest die er niet tegen konden? Maar die mensen gaan natuurlijk niet naar het stierenvechten! Dat is het! In zo'n stadion zitten alleen maar dierenbeulen, en de dierenliefhebbers blijven thuis. Toch schaam ik me, want ik eet gewoon vlees van koeien die ook dood zijn gemaakt, alleen niet in de arena maar in het slachthuis. Dus als ik niet zíé hoe een beest wordt geslacht, heb ik er geen moeite mee... Een pijnlijke conclusie.

Het volgende hotelcomplex dat aan het strand ligt, luistert naar de naam Puente Romano. Ik trek mijn gymschoenen aan en besluit er eens rond te kijken.

Tussen de luxeappartementen liggen goedverzorgde tennisbanen, waar boven de ingang met grote neonletters 'Manolo Santana' staat. Het centre court is verlicht, maar er wordt niet gespeeld. In het clubhuis is een bar en ik bestel een cola.

De foto's aan de muur tonen tennisvedetten die hier gespeeld hebben. Ik herken Steffi Graf, Boris Becker en Pete Sampras. Ook hangen er foto's uit een ver verleden waaruit blijkt dat Manolo Santana zelf ooit een beroemdheid is geweest. Het is vrij druk in het clubhuis en ik vraag me af of die Spanjaarden altijd zo opgewonden zijn, of dat er iets staat te gebeuren.

Opeens ontstaat er nog meer commotie als er een gezelschap binnenkomt. Het middelpunt is een stralend blond meisje in smetteloos witte tenniskleren. Manolo Santana loopt naast haar, want zijn hangsnor herken ik van de foto's. Trots als een pauw poseert hij samen met het meisje voor talrijke fotografen die in het kielzog van het gezelschap zijn meegekomen. Ze is bijzonder knap en ik vermoed dat ze een nieuw tennistalent is. Ze wordt nauwlettend in de gaten gehouden door een dikke man die ook steeds dingen regelt, vermoedelijk haar manager.

Na handtekeningen te hebben uitgedeeld, speelt ze een partijtje tennis tegen Manolo, terwijl de fotografen hun flitsende werk doen. Het meisje is ongeveer van mijn leeftijd en speelt niet slecht, maar ik zie nu wel in dat ze absoluut geen nieuwe tennis-ster is. Ze zal wel een zangeres zijn die hier een hit heeft. Ik ken haar ook vaag ergens van, maar wáárvan?

Ik ben de nu enige die nog aan de bar zit en kan het spel van hieruit maar half volgen. Alle gasten zijn op de tribune gaan zitten en leveren zo te horen uitbundig commentaar. Jammer dat ik geen Spaans spreek. Ik bestel nog een cola en ga ook tussen de mensen op het terras zitten.

„Olé!" roept er iemand als het meisje een punt scoort.

Het moet toch niet gekker worden, nu roepen die Spanjaarden ook al olé bij een tenniswedstrijd.

„Matadora!" roept iemand. Dat heb ik eerder gehoord...

Dan pas zie ik wie het is: Angela Sanchez! Ik had haar in die tenniskleding niet meteen herkend. Wat stom van me. Daar zullen mijn ouders wel weer smakelijk om moeten lachen als ik het ze vertel.

Ik loop naar de bar en bestel een 'Manolo Santana-salade' als avondeten. Het blijkt gelukkig een complete maaltijd te zijn, want ik heb een stevige trek. Sla, sardientjes, vlees en mayonaise en een stuk stokbrood. Die Manolo weet wel wat lekker is.

Buiten wordt er geapplaudisseerd, mensen staan op en het tennispartijtje is afgelopen.

„Die tut heeft maar een kwartiertje getennist. Dat is ook eigenlijk de moeite niet," brom ik als een van de chagrijnige opaatjes op het balkon van de Muppetshow.

Het meisje achter de bar denkt dat ik het tegen haar had en kijkt me vragend aan. Ik lach haar vriendelijk toe. Ze lacht terug.

Ik hoor achter me dat Angela Sanchez en haar gevolg aanstalten maken om te vertrekken, want de 'adióssen' zijn niet van de lucht. Ik kijk om en Angela kijkt mij stomtoevallig recht in de ogen.

,,Adiós," zeg ik met volle mond.

Wat een slijmerd ben ik. Gisteravond had ik het liefst gezien dat ze op de hoorns werd genomen omdat ze die stier zo aan het martelen was en nu groet ik haar vriendelijk. Ze moest eens weten!

Het meisje achter de bar is wel heel erg aardig voor me als ik weg wil lopen zonder op mijn wisselgeld te wachten.

„Señor!"

„Sí?"

Ze houdt het geld in de lucht.

„Gracias," zeg ik. Ik reken snel uit dat ik bijna vijf euro fooi had gegeven. Ik geeft haar wat geld en nu is het haar beurt om gracias te zeggen. Ze is leuk en ze slist een beetje. Weer kijkt ze me lachend aan. Er zijn maar weinig meisjes geweest die me zo lachend hebben aangekeken. Ik kan me er in ieder geval niet zo snel een herinneren. Misschien is dat leuke lachen iets typisch Spaans. Hollandse meisjes zijn altijd wat zuinig en gereserveerd als je aardig tegen ze doet. Misschien valt er een afspraakje met haar te maken, maar dat is onzin natuurlijk. Ze kan hier wel wat beters krijgen dan een zestienjarig broekie uit Nederland.

„Muchas gracias," zegt ze met weer een stralende lach.

„Veel gracias voor jou ook," antwoord ik.

De lichten van de tennisbanen gaan uit en het neon volgt na enkele seconden. Alleen de lichten in de appartementen branden nog. Aan de hemel staat een indrukwekkende hoeveelheid sterren te twinkelen. Zou Spanje meer sterren hebben dan Nederland?

Ik loop weer in de richting van het strand, althans dat denk ik. Maar ik vergis me en sta opeens voor een hek. In het gaas zit een gat, maar daar wil ik niet doorheen omdat het daarachter schaars verlicht is. Ik loop weer terug en sta even stil bij een geparkeerde Ferrari Testa Rossa.

„Wauw! Wat een auto," laat ik mij hardop ontvallen. Dit moet ik mijn vader vertellen, dan gaat hij meteen kijken.

Dan klinkt er vanonder de auto een klaaglijk gepiep. Op handen en knieën, met mijn oor bijna op de grond, kijk ik onder de laag op de wielen staande wagen en zie een jong, mager hondje dat angstig voor me wegkruipt.

„Kom eens," probeer ik. Maar het beest is doodsbang. Ik begrijp het wel, de Spanjaarden zijn slecht voor beesten. Zo'n hond heeft zijn vertrouwen in de mensheid natuurlijk helemaal verloren.

„Ik kom uit Nederland, je kunt me vertrouwen."

Het dier blijft onder de auto zitten.

„Je hebt honger, hè?" zeg ik een beetje stom.

De hond kijkt mij met grote, droevige ogen aan en maakt met zijn staart een heel klein kwispelbeweginkje. Dat is alvast een begin van vertrouwen.

„Ach gossie, wat ben je zielig. Wacht maar even, ik haal wel wat voor je."

Ik spring op en ren als een gek terug naar de tennisclub. Het licht is dan wel uit, maar de deur naar de bar is nog open. Het meisje is aan het opruimen.

„Do you have some meat for me?" vraag ik.

„Sorry, we are closed."

„Maar het is eh... I really need some meat, it's for a poor dog. He is almost dying, please."

Het meisje is de beroerdste niet. „A sausage?"

„A sausage would be fine!"

Ze pakt een stuk worst en geeft het aan mij.

„How much?"

„It's okay."

„I can pay."

„Bye-bye," zegt ze en ze gaat verder met opruimen.

„Muchas gracias." Wat een schat van een meid! Ik ren met

de worst in mijn hand terug naar de Ferrari. De hond zit er niet meer.

„Waar ben je nou, stom beest?" roep ik.

Vlak bij een appartement hoor ik hem weer klaaglijk piepen. Ik loop in de richting van het geluid en vind het dier onder een laag balkon, verscholen in een struik.

„Kijk eens wat lekker!" Ik houd de worst voor zijn neus, hij ruikt en kan de verleiding niet weerstaan. Voorzichtig komt hij te voorschijn en schrokt de worst naar binnen.

„Je moet wel kauwen en proeven, anders heb je er niets aan." Ik heb zijn vertrouwen gewonnen. Uitgebreid likt hij mijn vingers af, onderwijl hevig kwispelend. Ik aai de hond over zijn kop. Hij blijft zijn lippen aflikken, ten teken dat het hem goed gesmaakt heeft.

„Die worst was lekker, hè?" Ik krijg een naar worst ruikende lik in mijn gezicht.

Het is een mooi beest. Zwart, kortharig, niet zo groot en overduidelijk een vuilnisbakkenras.

Hij rolt op zijn rug en laat zich op zijn buik aaien. Ik zie nu dat het een zij is. Ze heeft mooie sprekende bruine ogen en hangende flaporen. Ik neem haar op mijn schoot. Ze weegt bijna niets.

„Ik ga jou de komende tijd eens goed te eten geven. En ik noem je naar het mooiste en gemeenste meisje dat ik hier in Spanje ken, Angela!"

„Sí?" hoor ik een stem van het balkonnetje boven mij antwoorden. Ik schrik me een ongeluk en het hondje kruipt dicht tegen me aan.

Ik had niemand naar buiten horen komen. Ik kijk schuin omhoog, recht in het gezicht van Angela Sanchez. Ze draagt een blauwe spijkerbroek, zo'n gebleekte. Haar haar heeft ze losjes in een staart bijeengebonden en ze heeft een smetteloos wit sexy truitje aan dat te kort is om haar navel te bedekken.

„Sí?" vraagt ze nog een keer vriendelijk. Ze heeft ook bruine ogen, net als de hond. Ze is zo mooi dat het bijna pijn doet aan mijn ogen.

„You said Angela?" vraagt ze nu wat ongeduldiger, omdat ik haar zwijgend aanstaar.

„Yes... eh... no... eh... the dog's name is Angela."

„Weet je dat ik ook Angela heet!" gaat ze verder in het Engels.

„Wat toevallig," zeg ik, maar dat vind ik stom klinken. „Ik weet dat je Angela heet," corrigeer ik mezelf, „daarom heb ik de hond ook Angela genoemd."

„Hoezo?"

„Omdat... eh... jullie allebei bruine ogen hebben," verzin ik. Ik kom er weer eens op een pijnlijke manier achter wat voor slijmerd ik ben. Ik zou toch meteen moeten losbarsten en vertellen dat die hond naar haar vernoemd is omdat ik haar een dierenbeul vind. Maar nee, ik ben de vriendelijkheid zelve.

„Wist je dan dat ik bruine ogen had?"

„Ja, dat had ik meteen gezien," lieg ik verder.

„Waar dan?"

„Ik zag het in de bar van de tennisbaan."

„Hij ziet er niet goed uit, die hond. Verzorg je hem wel goed?"

„Ik heb haar net gevonden, onder die prachtige Ferrari."

„Vind je het een mooie wagen?"

„Nou! Daar zou ik wel eens in willen rijden. Het geluid van de motor is ook zo mooi." Ik doe het geluid na en zij lacht. „In films," ga ik enthousiast verder, „zetten ze vaak een verkeerd geluid onder een rijdende Ferrari en daar kan ik me zo aan ergeren."

Angela Sanchez kijkt me aan en zegt verder niets. Ik word er verlegen van.

„De hond is ondervoed en ik heb haar een worst gevoerd."

Het dier voelt dat ik het over haar heb en kwispelt.

„Je bent lief voor dieren."

„Ik wel," zeg ik met een heel klein beetje nadruk op 'ik'. O, wat ben ik een held!

„Ik ben ook gek op dieren," zegt ze tot mijn grote verbazing. „Op de boerderij hebben we honden en paarden."

„En stieren?" Ik schrik van mijn eigen lef om dit onderwerp ter sprake te brengen.

„Nee, geen stieren. Stieren moet je fokken en daar gaat veel tijd in zitten. Maar de stier vind ik het mooiste en edelste dier dat God geschapen heeft." Ze zegt het met glinsterende ogen.

Nu ben ik het die niets zegt.

„Ik heb respect voor de stier," zegt ze zachtjes met een hese stem.

Ik besluit dit heikele onderwerp maar verder te laten voor wat het is.

„Tot ziens." Ik sta op en de hond blijft in mijn armen liggen.

„Wacht even," zegt ze, „waar kom je vandaan?"

„Nederland."

„Maar je weet toch wel wie ik ben?!"

„Ja, jij bent de beroemdste stierenvechtster van Spanje. Een volledige matador de toros."

Ze lacht. Het doet haar zo te zien goed dat ik weet wie ze is.

Ten afscheid knik ik maar met mijn hoofd, want die stomme hond blijft pathetisch in mijn armen liggen zodat ik niet kan zwaaien. Ik wil weglopen, maar ik hoor Angela een diepe zucht slaken, zoals mijn moeder dat ook kan doen.

„Waarom ga je weg?" vraagt ze.

Ik draai me om en kijk haar recht in de ogen.

„Omdat je net zo dramatisch kan zuchten als mijn moeder," grap ik.

„Hou je van je moeder?"

„Ja." Ik ben verrast door de vraag.

„Hou je van je vader?"

„Ja." Ik vraag me af of het een Spaanse gewoonte is om uitvoerig te informeren of je van je ouders houdt.

„Het is belangrijk dat je van je ouders houdt en ze respecteert," zegt ze fel.

„Net zoals je de stier moet respecteren?" merk ik dapper en kritisch op.

„Inderdaad," zegt ze vriendelijk.

„O," reageer ik een beetje lullig. Ik besef opeens dat we de hele tijd aan het fluisteren zijn. „Waarom fluisteren we, eigenlijk?"

„Omdat mijn ouders en mijn begeleiders niet mogen horen dat ik met jou praat."

„Waarom niet?"

Ze kijkt me onderzoekend aan. „Begrijp je dat niet?"

„Nee."

„Je weet toch wie ik ben? Ik word goed afgeschermd van iedereen."

„Dat merk ik, ja. Je staat hier in je eentje gewoon met een wildvreemde te praten."

„Deze situatie komt bijna nooit voor. Ze denken dat ik veilig op mijn kamer ben en lig te slapen."

De hond is in mijn armen in slaap gevallen en snurkt.

„Normaal zou jij nooit met me kunnen praten, daar ben ik te beroemd voor. Je zou een verzoek bij mijn ouders en mijn manager moeten indienen en dat zou afgewezen worden. Vele mannen in Spanje en Mexico zouden er heel wat voor overhebben om zo met me te kunnen praten."

„Ik ben dus een bofkont?"

Ze lacht haar witte tanden bloot en knikt.

Ik lach terug en moet bekennen dat ik haar aardig vind, al is ze een dierenbeul.

Die hond wordt zo langzamerhand loodzwaar in mijn armen, ondanks het feit dat het een mager scharminkel is.

„Nou, ik zou zeggen, respecteer je ouders en ook de stieren en ga lekker slapen. Ik moet ervandoor. Dag!" Ik draai me om en maak weer aanstalten om weg te lopen.

„Wat ga je doen?"

„Ik ga die hond naar mijn hotel brengen zodat ze kan drinken, want de worst die ik haar heb gevoerd, was behoorlijk gekruid."

„Kom eens terug," zegt ze dwingend en maakt een 'ga-weg-gebaar' met haar hand.

„Wil je nou dat ik kom of dat ik ga?" vraag ik grinnikend.

„Alsjeblieft, kom hier," fluistert ze opeens. Ze maakt weer een ga-weg-gebaar met haar hand.

Ik loop naar het balkonnetje toe en sta nu vlak voor haar, met mijn hoofd reik ik tot bij haar knieën. Ik krijg lamme armen van de hond en wil het beest neerzetten, maar ze laat niet toe dat ik haar loslaat en protesteert luid piepend.

„Sssst," zegt Angela tegen de hond.

Ik til haar maar weer op.

„Wat mankeert jou?" vraagt Angela.

„Dat vraag ik me van jou ook af," zeg ik bijdehand.

„Hoezo?" Een frons siert haar voorhoofd.

„Nou, je vraagt me om hier te komen en tegelijkertijd maak je met je hand een gebaar dat ik weg moet gaan."

Haar frons wordt nog dieper. Ze maakt dezelfde beweging met haar hand.

„Dat betekent 'ga weg'," zeg ik.

„Nee, dat betekent 'kom hier'."

„In Nederland is het precies andersom. Dit is 'kom' en dat

is 'ga'," doe ik voor met de hond in mijn armen.

„Dan doen jullie het fout," zegt ze beslist.

„Of jullie." Ik wil nu echt weg. Wat een stom gesprek! Ik draai me half om, maar ze laat mij niet gaan.

„Ik heb nog niet gezegd wat ik wilde zeggen."

„Ik ook niet," zeg ik, terwijl ik eigenlijk niets meer te melden heb.

Ze knijpt haar ogen samen en kijkt me nog eens goed aan. Ze schudt haar hoofd. „Miljoenen mannen zouden er een moord voor doen om met mij te praten, maar jij wilt weg; dat begrijp ik niet."

„Ik heb je gisteren in Puerto Banus gezien." Ik gooi het maar eens over een andere boeg.

Ze kijkt eerst verrast en vervolgens komt de frons weer terug. „O, nu snap ik het. Je zit wel achter me aan. Je wist dat ik hier twee dagen zou uitrusten en op een ongeïnteresseerde, subtiele manier probeer je mij voor je te winnen. Doen Nederlanders dat zo. Het is net zoals met 'kom hier' en 'ga weg'! In Spanje zit men hartstochtelijk achter iemand aan en in Nederland doet men alsof die iemand je niets kan schelen. Nou, daar trap ik niet in, dag!" De trotste, mooie, zelfingenomen Angela Sanchez draait zich met opgeheven hoofd om, een beweging die ik haar ook in de ring heb zien maken. Ze doet de deur open en stapt naar binnen.

Ik ben wel blij met deze afloop en maak me snel uit de voeten.

Hoofdstuk 6

Op het strand begeven mijn armen het bijna onder het gewicht van de hond en ik zet haar neer. Het beest heeft waarschijnlijk erg zware botten.

„Je hebt vier poten om op te staan, twee meer dan ik, dus gebruik ze dan ook."

Het is windstil en beetje broeierig. Ik ga zitten en gun mijzelf de tijd om rustig naar de donkere zee te kijken. Het is wassende maan en de zee is spiegelglad. Er is geen rimpeltje op het water te bespeuren, en dan te bedenken dat het onder die gladde oppervlakte barst van het leven – sardientjes, haaien, inktvissen. En in de Middellandse Zee moeten ook dolfijnen zitten. Wat zou het mooi zijn als er nu een dolfijn door die spiegel heen brak. Terwijl ik de hond aai, speur ik het wateroppervlak af naar leven, maar het lijkt wel of de vissen ook slapen.

„Ola," klinkt het achter me, en Angela komt naast me zitten.

Nou, het is wel een volhoudertje.

„Weet je wat dit betekent, dat ik naast je kom zitten?" vraagt ze.

„Ik denk dat je de slaap niet kunt vatten."

„Als ze zouden merken dat ik er alleen vandoor ben in het gezelschap van een jongen, dan word ik meedogenloos gestraft."

„Waarom doe je het dan?"

„Omdat het me af en toe de keel uithangt om alsmaar gecontroleerd te worden."

„Maar ik denk dat dat wel nodig is als je zo beroemd bent."
„Zonder bescherming loop ik risico."
„Dan zou ik maar snel teruggaan." Ik aai de hond, die tegen mij aan is komen liggen. Vanuit mijn ooghoek zie ik dat Angela mij boos aankijkt. Die antwoorden van mij bevallen haar niet, maar ik kan er echt niets aan doen.
„Waarom zit je hier?"
„Wat gaat jou dat nou aan?"
„Ik wil het weten," zegt ze op een dwingend kindertoontje.
„Ik kreeg lamme armen van die hond," antwoord ik, „dus heb ik haar in het zand gezet en ben erbij gaan zitten, want ik ben hier op vakantie, dus ik doe wat ik wil."
„Dus je zit hier niet met het idee dat ik achter je aan zou komen."
„Nee, ik dacht dat ik van je af was."
„Werkelijk?"
„Ja!"
„Ik kan het niet geloven."
„Dat is dan jouw probleem. Mijn hemel, we hebben een gesprek als een echtpaar dat te lang getrouwd is!"
Ze schatert het uit om deze opmerking. Ze heeft dus wel gevoel voor humor. Ze aait haar naamgenote en het beest begint haar hand te likken.
„Ze vindt je aardig."
We weten allebei waarschijnlijk niet meer wat we moeten zeggen en wel tien minuten lang zitten we daar over het water te kijken.
„Zo, dus jij komt uit Holland," verbreekt ze de stilte.
„En jij woont in Spanje..." zeg ik om ook maar iets te zeggen.
Ik zie dat ze een spijkerjasje met glitters heeft aangetrokken en ik ruik dat ze meer parfum op heeft dan toen ze op

haar balkonnetje stond. Ik ben onder de indruk van haar schoonheid. Ik kan me niet voorstellen dat ik hier met haar zit. Dat gelooft niemand, als ik het later vertel.

„Hoe heet je?"

„Rutger."

„Rutkurr?" zegt ze. Het is een naam die volgens mij niet veel voorkomt in Spanje.

„Rutger met een gg," zeg ik nog eens voor de duidelijkheid.

„Rutkucher?"

Ik schrijf mijn naam in het zand.

„Roetker!" leest ze.

Met de g-klank heeft ze blijkbaar moeite. Ik hoop maar dat ze niet naar mijn achternaam vraagt.

„Wat is je achternaam?"

Ik probeer nog even om een gemakkelijke achternaam te verzinnen, maar er schiet me zo snel niets te binnen. „Het is in Spanje een moeilijk uit te spreken naam."

„Schrijf het in het zand, dat vind ik leuk."

Ik schrijf Gregorius in het zand.

„Krekorioes!" roept ze triomfantelijk uit.

Opeens bedenk ik dat ze in Spanje de j uitspreken als een g, dus schrijf ik in het zand: Rutjer.

„Roetger," leest ze nu.

„Perfect," zeg ik enthousiast, „en laat Gregorius maar zitten."

„Ssst," zegt ze opeens. Ze pakt me bij mijn arm en kijkt geschrokken achterom.

„Wat is er?"

„Ik dacht dat ik wat hoorde. Laten we hier weggaan."

„Waarnaartoe?"

„In ieder geval verder weg van het hotel. Kom." Ze pakt me vast, ik til de hond nog snel op en ze sleurt me achter zich aan. We lopen in de richting van mijn hotel.

„Kan die hond niet lopen?" vraagt ze.

„Jawel, maar op dit moment wordt ze liever gedragen."

„Zet haar eens neer."

Ik zet het dier in het zand. Ze blijft als een hulpeloos zeehondje liggen.

„Kom op, kijken wat er gebeurt," zegt Angela, terwijl ze mijn hand pakt. We lopen door.

Het hondje blijft nog even zielig in het zand liggen, maar komt dan toch achter ons aangerend.

„Nu is het weer een normale hond," zegt Angela, terwijl de hond tegen mij opspringt.

„Jij kunt goed met beesten omgaan," zeg ik.

„Ik zie aan een dier wat het wil gaan doen."

„Als een stier de ring binnenkomt, zie je dat hij dood wil?" vraag ik wat overmoedig.

„Nee, de stier wil winnen," antwoordt ze.

„Wint de stier dan wel eens?"

„Ja. Bij mij één keer."

„Toen raakte je gewond aan je elleboog."

Ze kijkt me bewonderend aan. „Dat je dat weet als Hollandse jongen."

Ze laat haar elleboog zien en zelfs in het donker zie ik aan het litteken dat het beest haar flink te pakken heeft genomen.

„De hoorn ging bijna dwars door mijn elleboog heen."

„Wat zal je een hekel aan die stier hebben gehad."

„Nee, ik had een hekel aan mezelf. De stier had van mij gewonnen. Hij staat bij ons op de ranch en hoeft nooit meer te vechten."

„Gebeurt dat altijd met een stier die wint?"

„Nee, maar ik wil dat zo. Dat is nou wat ik bedoel met respect. Ik hoop alleen dat het nooit meer gebeurt dat een stier van mij wint."

Ik merk dat we bijna mijn hotel voorbijlopen.

„Daar logeer ik." Er brandt geen licht in het appartement van mijn ouders. Dat kan twee dingen betekenen: ze zijn nog niet thuis of ze slapen al.

„Waar precies?"

„Derde etage."

„Dat is nog beter dan waar ik zit."

Ik wil uitleggen dat we hier zijn omdat ik deze reis als eerste prijs met mijn kijkdoos heb gewonnen, maar ik weet niet zo snel wat kijkdoos in het Engels is.

„Mijn ouders hebben het appartement boven mij," zeg ik maar.

„Apart van jou?"

Ik knik.

„Dat zou ik ook wel willen," zegt ze en kijkt me bewonderend aan. Misschien denkt ze wel dat ik heel erg rijk ben. „Ik vind het een mooi hotel," zegt ze.

Ik knijp met mijn ogen om te zien of mijn ouders misschien met het licht uit op hun balkon zitten. Ik heb liever niet dat ze me met Angela Sanchez zien, want dan komen er weer allerlei vragen plus de nodige pesterijen. Ik zie niets, maar nog belangrijker: ik hoor ook niets. Mijn moeder zou zich met haar luidruchtige stem zeker verraden hebben.

Er lopen nog wat mensen op het strand te wandelen. Iedere keer als die dichtbij komen, verbergt Angela haar gezicht.

„Zullen we naar binnen gaan?" vraagt ze.

Ik ben zo verbaasd door deze vraag dat mijn mond openvalt en ik vergeet te antwoorden.

„Je hebt die suite toch voor jezelf? Of was dat niet waar?" Ze kijkt me met een twijfelende blik aan. Je kunt zien dat ze denkt: 'Wat een afgang als ik al de hele tijd met een opschepper op stap ben.'

„Nee, ja... eh... het is mijn eigen hotelsuite. Maar moet je niet naar huis? Stel je voor dat je ouders erachter komen dat je er niet bent."

„Als ik maar voor morgenochtend acht uur terug ben."

„We kunnen ook nog even op het strand blijven." Ik weet niet goed hoe mijn ouders ertegenover staan als ik midden in de nacht met een meisje op mijn kamer zou zijn. Ik voel dat ik een rode kop krijg. Het is maar goed dat het donker is.

„Rutger?"

„Ja, Angela?" Het is de eerste keer dat ik haar bij de naam noem.

„Je wilt die hond toch nog wat te eten geven? En bovendien moet ze drinken na die gekruide worst die je haar hebt gegeven, kom."

„Vertrouw je me zo dat je gewoon met me meegaat?"

„Waarom zou ik je niet vertrouwen?"

„Ga je wel vaker zomaar met jongens mee?" Terwijl ik het zeg, heb ik al spijt van deze ontactische opmerking.

Ze kijkt me verontwaardigd aan.

„Sorry," zeg ik snel, „maar ik bedoel het voor je eigen bestwil. Ik zou je wat kunnen aandoen." Deze belachelijke zin is eruit voor ik er erg in heb.

„Wat zou jij mij nou kunnen aandoen?"

Ik haal mijn schouders op en voel een stomme grijns rond mijn lippen.

„Hé Rutger, er heeft maar één stier van me gewonnen, denk je dat jij de tweede bent?"

„Maar je begrijpt toch wel wat ik bedoel?"

„Jawel, maar omdat je me zo lief waarschuwt, weet ik dat ik je kan vertrouwen." Ze lacht zo betoverend dat ik meteen het opgelaten gevoel kwijt ben.

We lopen de trap op en ik ben bang om mijn ouders tegen te komen.

„Wat zouden je ouders doen als ze wisten dat jij nu bij mij bent?" vraag ik terwijl ik de deur openmaak en haar naar binnen duw.

„Ze zouden je vermoorden."

Ik schiet in de lach.

„Ik meen het serieus."

Ik zet vlug de hond neer en draai de deur op het nachtslot.

„Ik weet ook niet hoe míjn ouders zouden reageren." Ik wijs naar het plafond. „Laten we blijven fluisteren, ik weet niet zeker of ze thuis zijn." Ik pak een champagnekoeler en gebruik die als drinkbak voor de hond. Ze drinkt hem half leeg en gaat languit op de bank liggen.

Angela loopt rond en bewondert de kamer.

„Wat wil je drinken?" fluister ik.

„Mineraalwater," fluistert ze terug. Ze staat midden in de kamer en schudt haar haar los. Ik heb het gevoel dat ik in een film speel.

Ik schenk water in en ga naast Angela de hond zitten.

De andere Angela is het balkon op gelopen en komt weer terug de kamer in. „Dit is de mooiste plek aan de kust."

„Ik leef hier als een vorst."

„Ik heb dit nog nooit gedaan."

„Wat niet?"

„Zomaar met een jongen mee die ik nauwelijks ken."

Boven me hoor ik mijn ouders thuiskomen. Ik spring op en trek de gordijnen dicht. „Mijn ouders komen thuis en ze kunnen vanaf hun balkon de kamer inkijken." Ik wijs naar boven. Er zijn daar twee geluiden te horen. Een zacht tik-tik-tik, dat zijn de hakken van mijn moeder op de plavuizen, en boem-boem-boem, de voetstappen van mijn vader.

Angela legt haar hand op mijn onderarm en gaat tegen mij aan zitten. We kijken elkaar aan en ik zie dat ze bloost. Ik voel dat ik ook een knalrooie kop moet hebben.

Ik hoor mijn moeder op het balkon lopen. Mijn vader zegt iets wat ik niet kan verstaan.

„Maar het is toch wel een geruster gevoel als we weten dat hij er is," horen we opeens heel duidelijk.

„Laat hem nou maar met rust, anders zijn we zo betuttelend," geeuwt mijn vader.

„Ik probeer het wel zachtjes," zegt mijn moeder. „Rutger, ben je al thuis?"

„Waf!" reageert Angela.

„Het is een goede waakhond," fluistert Angela in mijn oor.

„Ik hoor een hond!" zegt mijn moeder met verbaasde stem.

Angela en ik kunnen ons lachen bijna niet inhouden.

„Je hebt te veel gedronken, schat," bromt mijn vader, die nu ook op het balkon moet staan.

„Zijn raam is open, maar de gordijnen zijn dicht en er brandt licht." Mijn moeder probeert dus over de balkonleuning mijn kamer in te kijken.

„Dan is hij er dus, kom nou maar."

„Ik lig al in bed," roep ik gespeeld slaperig.

„Welterusten, Rutger," klinkt het opgelucht in koor. Mijn ouders gaan naar binnen en dan is het stil.

Ik vertaal voor Angela wat er gezegd is. We voelen ons net twee kleine kinderen die iets stouts doen. Ik doe de gordijnen open en ga weer op de bank zitten. We kijken over het terras naar de eindeloze Middellandse Zee. Het is nog steeds windstil en het maanlicht weerspiegelt helder op het water.

Angela schopt haar schoenen uit, vlijt zich tegen mij aan, trekt haar voeten op de bank en ik sla een arm om haar heen.

„Dus jij zat op de tribune in Puerto Banus?"

„Waar...? Eh... o ja... ja!" Ik besef ineens dat ik haar helemaal niet meer als stierenvechter zie. Ik heb het gewoon verdrongen.

„Ja, ik heb het allemaal gevolgd." Ik wil deze gelukzalige situatie nu niet gaan verpesten door mijn mening te geven over stierenvechten.

„Het was niet mijn beste gevecht. De stieren waren een beetje sloom."

„Och," zeg ik neutraal. Ik moet er niet aan denken dat ik zulke slome stieren zelf zou tegenkomen.

„En het kwam ook doordat de picadores te wreed waren, ze staken het beest al bijna dood."

Ik kan me alleen de banderillero's herinneren, razendsnelle mannen die vaantjes in de schouderspieren van de stier prikten, maar ik vermoed dat ze de man op het geblinddoekte paard bedoelt, met die piek en die po op zijn kop.

„Ik ergerde me meteen al aan die picadores," bluf ik.

„Wat goed dat je dat ziet, dat hebben zelfs de meeste Spanjaarden niet eens door."

„Och." Als ze nu maar niet verder vraagt.

„Weet je waarom die picadores dat doen?"

„Nou?"

„Omdat ik een vrouw ben."

„Puh," zeg ik hoofdschuddend, „ze zijn gewoon jaloers!"

Een grote hagedis kruipt over het balkon. Angela legt haar hoofd op mijn schouder.

„Weet je," zegt ze zachtjes. „Jij bent een Nederlander. Maar jij zit niet, zoals de meeste buitenlanders, te zeuren dat stierenvechten wreed is."

„Nee." Ik hou mijn adem in.

„Jij bent niet zo."

„Eh, nee." Ik voel me net Pinokkio met een neus van een meter lang.

„Hoe lang houd je al van stierenvechten?"

Ik schraap mijn keel. „Als kind vond ik het al boeiend," lieg ik dan.

„Ik ook, mijn vader nam mij al mee naar de arena toen ik drie was."

„Ik had het moeilijker, want ik kon in Nederland niet zeggen dat ik van het stierengevecht hield; ze zouden me..." Bijna had ik in mijn overdrijving gezegd dat ze me vermoord zouden hebben, maar ik kan me nog net corrigeren: „...het erg kwalijk genomen hebben."

Ik ben een slijmbal tot in het diepst van mijn hart, maar o, wat voel ik mij verliefd worden. Om haar te behagen ben ik tot alles in staat. Ik dacht dat ik wel wist wat verliefdheid was, maar ik weet nu dat het een soort tropenkolder is waar je alleen maar meer en meer van wilt.

„Rutger..."

„Angela?"

„Wat dacht je toen je me in de arena zag?"

„Dat is de mooiste vrouw die ik in mijn leven heb gezien

en dat beeld zal nooit overtroffen worden." Ik verras haar én mezelf met deze prachtige volzin.

Ze kijkt naar mij op en dan gebeurt er een wonder: we kussen. Dit is de hemel! Ik hoef niet meer verder te leven. Dit is het hoogtepunt! Alles wat er nu nog aan leuke dingen in het leven komt, is mooi meegenomen.

Buiten adem van het zoenen kijken we elkaar aan.

„Wat doe jij eigenlijk voor je beroep?" vraagt ze.

„Ik zit nog op school."

„Je bent een student."

„Ja," zeg ik, want dat klinkt een stuk beter.

„Hoe oud ben je?"

„Zestien."

„O," zegt ze en ze trekt zich een beetje terug, „ik dacht dat je ouder was."

„Hoe oud dacht je dan?"

„Achttien."

„Hoe oud ben jij dan?"

„Ik ben net achttien geworden."

„Dan zijn we ongeveer even oud," constateer ik stompzinnig.

Ze schiet in de lach. „Wat wil je later worden, Rutger?"

„Dierenarts."

„De liefde voor dieren heeft ons samengebracht," zegt ze, terwijl ze naar Angela, de hond, kijkt.

„Ik ben verliefd op je," fluister ik met een kikker in mijn keel.

„Ik ook op jou," zegt ze.

Ik voel dat ik moet lachen, huilen, juichen, schreeuwen, springen. Ik voel alles voor haar, voor Angela Sanchez, van beroep stierenvechter.

Hoofdstuk 7

Angela likt mij in mijn gezicht. De hond kijkt mij vrolijk kwispelend aan. „Jij bent vroeg wakker," zeg ik, en krijg meteen een volgende lik.

Ik ben net ontwaakt uit een diepe slaap en heb de smaak van een dood vogeltje in mijn mond. In mijn linkerarm is de bloedstroom tot stilstand gekomen omdat Angela er met haar volle gewicht op ligt te slapen. Zonder haar wakker te maken bevrijd ik mijn levenloze arm, die aanvoelt alsof er

met honderden naalden in geprikt wordt. Ik beweeg mijn arm voorzichtig heen en weer; het voelt niet best aan. Ik vrees dat ik de rest van mijn leven een zielig armpje zal hebben, maar na een tijdje gaat het wel weer.

Ik kijk naar het grootste geluk dat mij in mijn leven is overkomen en dat geluk verkeert nog in een toestand van diepe slaap. Haar mond is half geopend en haar blonde haren liggen verward op het kussen. Ik hoor de golven op het strand rollen en vanuit bed zie ik dat de zee geen spiegel meer is. Integendeel, er zijn zelfs schuimkoppen op de golven.

Ik loop naar de zitkamer. Angela rent vrolijk achter mij aan en ik geef haar een stukje kaas uit de minibar.

„Vandaag koop ik vlees voor je," beloof ik haar. Ze is al tevreden met de kaas, drinkt nog wat water uit de champagnekoeler en nestelt zich weer op de bank.

Snel keer ik terug naar de slaapkamer en duik weer in bed. Liggend op mijn zij en steunend op mijn elleboog kan ik nu rustig Angela's gezicht bestuderen zonder dat ze het merkt. Ze snurkt een beetje en zelfs 's ochtends ziet ze er ontroerend mooi uit. Ik kus haar heel zachtjes op haar wang.

Ik zucht en kijk naar buiten... recht in het ondersteboven hangende gezicht van mijn vader! Hij hangt over de leuning van zijn balkon en zijn hoofd is zo rood als een biet.

„Wat maak jij nou?" fluister ik verontwaardigd.

„Sorry," fluistert hij terug.

„Pa, zoiets doe je toch niet!"

„Ik wilde alleen maar kijken of je er was."

„Ga weg!"

Zijn hoofd wordt steeds rooier en dan trekt hij zich terug.

Ik hoop dat hij niets tegen mijn moeder zegt, want die wil dan natuurlijk alles weten. Zou hij Angela herkend hebben? Zou hij vanuit die positie gezien kunnen hebben dat Angela Sanchez naast mij ligt?

Ik stap voorzichtig uit bed en loop het balkon op. Ik ga op een stoel staan om ongeveer vanuit dezelfde hoek naar het bed te kijken als mijn vader deed. Als je niet weet wie er in bed ligt is het moeilijk te zien, zeker als je ook nog ondersteboven kijkt, zoals hij deed. Juist als ik boven op de stoel mijn inspectie sta uit te voeren, wordt Angela wakker. Ze richt zich half op en kijkt me verbaasd aan.

„Ik zie een blote jongen op een stoel staan. Droom ik of is dit werkelijkheid?" zegt ze droog.

Ik spring van de stoel af en ga bij haar zitten.

„Waarom ga je op een stoel staan? Is dat een Hollandse gewoonte?"

„Mijn vader keek naar binnen of ik er was. Hij hing over het balkon met zijn kop ondersteboven, zodat hij ons kon zien."

„Hij heeft ons dus gezien?"

„Ja, maar hij heeft jou nooit kunnen herkennen, vanuit zijn standpunt. Dat heb ik gecontroleerd toen ik boven op de stoel stond."

„Wij zijn echt voor elkaar bestemd," zegt ze met een hese stem. „Ik doe ook vaak zulke rare dingen."

Angela springt op bed en begroet kwispelend en blaffend haar naamgenoot.

„Die hond is blij om me te zien!"

„Ja, ze kent je nu." Angela wordt ook in haar gezicht gelikt.

Dan kijkt Angela verschrikt naar de wekker. „Ik moet gaan." Ze kleedt zich snel aan.

„Moet ik je wegbrengen?"

„Nee joh, dan weet iedereen dat we bij elkaar zijn geweest. Dan kun je het net zo goed in 'El Mundo' zetten." Ze geeft me een kus. „Gracias."

„Nee, jij gracias en dat meen ik echt."

We houden elkaar vast en kijken elkaar wanhopig aan omdat we geen van beiden afscheid willen nemen.

„Tot gauw," zegt ze.

„Wanneer zien we elkaar dan weer?"

Maar er komt geen antwoord, want ze is al weg. Vanaf mijn balkon zie ik haar over het strand rennen. Ze doet alsof ze aan het joggen is en dat is slim. Ze zwaait en ik zwaai terug. Ik kijk haar zo lang mogelijk na, buig ver naar voren totdat ze uiteindelijk uit beeld is verdwenen.

Wanneer zal ik haar ooit terugzien? De wanhoop slaat onmiddellijk toe en bovendien is daar de twijfel. Is ze echt verliefd op me of was het een doortrapte tante die hiermee onnozele jongens zoals ik het hoofd op hol brengt? Is het eigenlijk wel allemaal echt gebeurd? Als ik aan mijn vrienden zou vertellen dat de mooiste stierenvechtster van de wereld bij mij is blijven slapen, zouden ze me nooit geloven.

„Ahum," hoor ik boven me.

Ik leun over de reling van het balkon en kijk naar boven, recht in het gezicht van mijn vader. Hij heeft nog steeds een beetje een rode kleur. „Ik wil je straks even spreken," zegt hij.

„Wil je niets tegen ma..."

„En je moeder wil je ook spreken. We verwachten je bij het ontbijt." Mijn vader draait zich om.

Te laat, mijn moeder weet het dus ook. Ik ga weer op bed liggen en druk mijn hoofd in het kussen waar zij op gelegen heeft. Ik ruik haar geur en val in slaap, terwijl dat eigenlijk niet de bedoeling was.

Als ik twee uur later weer wakker word gelikt, maakt Angela mij springend en blaffend duidelijk dat ze uitgelaten wil worden.

Ik schrik omdat het al zo laat is en ga meteen op zoek naar mijn ouders. Ze zijn nergens te vinden en ze hebben ook geen bericht achtergelaten bij de receptie. Ze zijn natuurlijk boos op me omdat ik niet meteen naar ze toe gekomen ben.

Ik besluit met de hond een strandwandeling te maken. Ik weet al waarnaartoe.

Als ik met de vrolijk in het rondspringende Angela het terrein van Puente Romano op kom, ben ik ongezien getuige van het vertrek van mijn vriendin.

Tot mijn verbazing stapt ze achter het stuur van de Ferrari Testa Rossa waaronder ik Angela de hond had gevonden. Die wagen is dus van haar! Waarom heeft ze dat niet meteen gezegd? Angela wil naar haar toe rennen, maar ik houd haar tegen.

„Zo zou je nog verraden dat wij haar kennen, stomme hond," zeg ik en ik houd het beest dicht bij me.

Een dikke man stapt naast haar in de wagen en met twee auto's achter zich aan vertrekt ze, terwijl er een handjevol fans staat te zwaaien.

„You know who that is?" vraagt een man met een Nederlandse tongval.

„Spreek maar Nederlands," zeg ik droog.

„Ik zie je zo met open mond vol bewondering naar dat meissie kijken," zegt de man met een duidelijk Amsterdams accent, „maar daar kom je nooit bij."

„Hoe bedoelt u?"

„Weet je wie dat is?"

„Nee." Ik houd me van de domme, want het gaat hem niets aan dat ik haar ken.

„Dat is Angela Sanchez, de beroemdste vrouwelijke stierenvechter van Spanje."

„Ze is mooi," reageer ik gemeend.

„Ach, 't is nog een kind," zegt de man die ongeveer achter in de veertig moet zijn. „Het is net als met die tennissters: ze zijn jong, verdienen onfatsoenlijk veel poen en worden helemaal van de buitenwereld afgeschermd. Nou kan jij wel hier staan kwijlen en haar leuk vinden, maar vergeet het maar dat je ooit een kans krijgt om maar even met haar te praten. Haar lijfwachten, haar manager en weet ik veel wie schermen haar af en haar ouders bepalen uiteindelijk met wie ze om mag gaan. Haar man zal rijk moeten zijn en bovendien geniet enig blauw bloed de voorkeur. Zo'n meid is achttien en helemaal verpest en ik denk ook nog dat ze eenzaam is als de kolere."

„Hoe weet u dat allemaal zo goed?"

„Ik werk al twintig jaar in Spanje als kok. Gisteravond was ze hier in mijn restaurant. Wat een circus. Eerst komen er van die veiligheidslui die de hele zaak onderzoeken op bommen."

„Wordt ze bedreigd?"

„Niet speciaal, maar met beroemde mensen is dat in Spanje een standaardprocedure, want er gaat hier nog wel eens een bommetje af. Om mijn verhaal af te maken, nadat die veiligheidslui achter elke plint hadden gekeken, hebben ze het hele restaurant voor haar afgehuurd. Dat houdt in dat ze komt eten met haar familie en de omzet betaalt voor een goedlopende avond. Ik heb twintig tafels, zij zit met haar gezelschap aan één grote tafel, dus je snapt dat ik dikke winst maak. Kan je nagaan hoeveel ze vangt. Die veiligheidsmensen staan buiten de wacht te houden. Dag en nacht wordt ze in de gaten gehouden. Ik heb toch wel meelij met 'r, ook al is ze een verwend kreng."

„Ik heb gehoord dat ze erg aardig is."

„Nee, het is een arrogant takkewijf. Ze heeft niks van mijn asperges gezegd, terwijl ik die goddelijk had klaargemaakt. Ze deed alsof het de gewoonste zaak van de wereld was en bovendien liep ze midden onder het eten zomaar weg. Ze heeft een half uurtje zitten kanen en loopt weg zonder wat te zeggen. Ze liet haar ouders en gasten gewoon achter, madam was moe en wilde naar bed en alles wat zij wil moet meteen gebeuren. Het is een dwingelandje. Toen ik zo oud was als zij, ging ik liftend naar Griekenland, met een rugzak en zonder poen. Dan leer je wat leven is en ben je blij met een droge korst brood."

Ik kijk de man eens goed aan. Hij heeft lang haar dat in een staartje bijeengebonden is, zijn huid lijkt van grof leer en hij heeft diepe groeven in zijn gezicht. Zijn wenkbrauwen staan wild boven zijn ogen en hij ziet er wat sjofel uit met zijn vieze spijkerbroek en zijn groezelige overhemd. Hij loopt ook nog eens op sandalen, wat altijd weerzin bij me opwekt. Hij is gewoon jaloers op Angela en daarom praat hij zo negatief over haar. Bovendien is hij beledigd omdat ze niks over zijn stomme asperges zei. Maar ik houd deze gedachten wijselijk voor me.

„Verdient ze dan zoveel met dat stierenvechten?" vraag ik.

„Ja, en het meeste met de reclames die ze doet. Je hoeft hier de televisie maar aan te zetten of je ziet weer een reclame met die trut van Sanchez."

Hoofdstuk 8

Midden op de dag zit ik samen met mijn hond op de bank in mijn hotelkamer te kijken naar de Spaanse tv. Opeens is daar het gezicht van Angela. Het is een extreme close-up, waarbij je alleen haar ogen ziet. Ze kijkt je aan vanaf het scherm, terwijl ze wordt toegejuicht. Dan zoomt de camera uit en zien we haar in de arena staan. Het gejuich verandert in een alarmerend geschreeuw.

Er volgen shots van het publiek, waarin mensen Angela druk gebarend waarschuwen voor iets. Angela begrijpt het eerst niet, maar dan opeens wordt het haar duidelijk. Van schuin achter haar komt een stier in een stofwolk van fijn geel zand op haar afgerend.

Je zou dan zeggen dat ze op z'n minst geschrokken zou kijken, maar nee, Angela tovert een stralende lach op haar gezicht.

De stier dendert recht op haar af. Het publiek schreeuwt zich de kelen schor van angst. Kinderen verbergen hun gezicht in de schoot van hun moeder. Een oude man sluit zijn ogen. Een meisje kijkt met open mond toe. Een stelletje zoekt steun bij elkaar en een knappe man met een eendagsbaard schudt zijn hoofd.

Angela blijft de rust zelve en vlak voordat de woeste stier haar op de hoorns wil nemen, doet ze haar arm omhoog. De stier zit met zijn woest opengesperde neus vlak bij haar oksel. Het beest snuffelt wat en is op slag rustig. De stier staat nu zo mak als een lammetje naast Angela.

Het publiek juicht en klapt. Angela lacht nog stralender.

De stier slaakt een diepe zucht en Angela aait hem tussen de hoorns. Angela haalt een okselroller te voorschijn en toont die aan het in extase geraakte publiek.

„Angela Sanchez is vierentwintig uur okselfris, dat ruikt zelfs een stier!" zegt een mannenstem in het Spaans. Ik geef toe dat het me enige moeite kost om de juiste vertaling te vinden, maar met behulp van 'Hoe Zeg Ik Het In Het Spaans' lukt me dat vrij snel. Ik vind het een mooie reclame.

Ik denk dat ik nu wel weer genoeg geestelijke kracht heb om mijn ouders onder ogen te komen. Na enig zoeken ontdek ik ze aan de rand van het zwembad, waar ze op stretchers liggen te zonnen.

„Zie je wel!" roept mijn moeder als ze de hond ziet. „Ik dacht gisteren al een hond te horen." Ze kijkt mijn vader verwijtend aan. „Ik had dus niet te veel gedronken! Rutger, hoe kom je aan dat hondje?"

„Ik heb haar gevonden, het beest was bijna verhongerd en ik heb haar eten gegeven."

„Wat een lief beestje," roept mijn moeder enthousiast. Angela is meteen blij met mijn ouders en springt blaffend en kwispelend tegen hen op. Zo te zien zijn ze niet zo boos op me. Het valt me mee.

„Jij vindt de laatste tijd nogal wat, hè?" zegt mijn vader om mij uit de tent te lokken.

Ik knik onverschillig en ga ook op een stretcher liggen die door een jongen van het hotel wordt voorzien van handdoeken.

„Gracias," bedank ik de aardige jongen.

„Hoe heet ze?" vraagt mijn moeder.

„Angela," zeg ik.

„O, wat een leuke naam."

„Ja? Vind je het een leuke naam voor een hond?" vraag ik haar.

„Nee, ik wilde weten hoe het meisje heet dat vannacht bij je logeerde."

„O," reageer ik onnozel, „ik dacht dat je het een leuk hondje vond en haar naam wilde weten."

„Ik vind Angela een leuke naam voor een hond," zegt mijn moeder. „Dag, Angela." Het beest springt weer kwispelend tegen haar op. Het is duidelijk dat ze veel aandacht tekort is gekomen in haar hondenleven.

Een Spaanse ober vraagt wat ik wil drinken en of hij de hond moet wegjagen.

„Nee, want het is míjn hond, en ik wil een vruchtensap met veel ijs."

„Je moeder wil graag weten wie dat meisje was," zegt mijn vader.

„Welk meisje?"

„Rutger, doe niet zo onnozel."

„Hoe weet jij dat er iemand bij me was, pa?"

„Omdat ik het zag."

„Jij had helemaal niet mogen kijken."

„Maar ik wist toch niet dat jij met een meisje in bed lag?"

„Daarom had je ook niet mogen kijken, pa!"

„Luister goed, Rutger." Mijn moeder kijkt me streng aan. „Aanvankelijk zijn papa en ik er erg van geschrokken dat je vannacht een meisje op je kamer had. Maar we hebben er met z'n tweeën over gepraat en we begrijpen het wel. Maar we hebben toch liever niet dat het deze vakantie nog een keer gebeurt. Ik vind zestien gewoon nog te jong."

„Het zal niet meer gebeuren," beloof ik.

„Maar nu het toch gebeurd is, willen we haar naam horen, zodat we in ieder geval weten over wie we het hebben," zegt mijn vader.

„Ze heet Victoria," flap ik eruit. Hoe kom ik er nou bij om zo'n naam te verzinnen!

„En waar komt deze Victoria vandaan?" Mijn moeder gaat er eens goed voor zitten.

„Spanje."

„Dat snappen we, maar komt ze hier uit de buurt?"

„Ze komt uit Barcelona en ze is hier op vakantie. Maar vandaag gaat ze alweer terug naar huis."

„Zat ze hier in het hotel?"

„Nee, in een hotel verderop."

„Ik hoop dat je het allemaal wel veilig gedaan hebt?"

„Wat?"

„Nou, wat je zoal doet met een meisje in bed," zegt mijn moeder.

Ik haal mijn schouders op en ga er niet op in.

„Dat asperges eten van gisteravond was een sof." Mijn vader verandert gelukkig van onderwerp. „We zouden in dat restaurant met die Nederlandse kok gaan eten omdat hij de beste asperges van Spanje seveert, maar het hele restaurant was afgehuurd door een gezelschap en we mochten er niet in. En raad 'ns door wie?"

„Ik heb geen idee." Wat grappig, ze probeerden in dat restaurant van die paardenstaart te eten.

De ober brengt mij een groot glas vruchtensap. „Heeft u ook wat water voor de hond?" vraag ik. De ober trekt een lelijk gezicht, maar knikt toch van ja. Ze hebben het hier niet zo op honden.

„Angela Sanchez had het hele restaurant afgehuurd," zegt mijn vader.

„Wie?" vraag ik zo onnozel mogelijk.

„De stierenvechtster! Dat weet je toch wel!"

„O, die. Ik wil niets meer over stierenvechten horen." Ik sla mijn sap in één keer achterover en ga languit in de zon liggen, met mijn ogen dicht.

„Zij is ook blond," zegt mijn vader.

Ik reageer niet.

„Net als eh... jouw vriendin."

Ik kom langzaam overeind en kijk mijn vader boos aan. „Luister pa, het is al erg genoeg dat je helemaal op je kop gaat hangen om te kijken wat er in mijn slaapkamer gebeurt. Dus ik vraag je om niet verder te gaan."

„Maar ik verwachtte niet dat mijn zoon met een..."

„Dat verwachten de meeste vaders niet van hun zoon. Wees blij dat ik niet met twéé vrouwen in bed lag, dat zou je helemaal niet verwacht hebben."

„Rutger, doe niet zo brutaal tegen je vader!"

„Sorry."

„Ik wilde gewoon kijken of je er was," verontschuldigt mijn vader zich. „Ik zal nooit meer kijken."

„Kijken in mijn kamer kun je vanaf nu weer gewoon doen, want Angela is toch weg."

„Angela?" vraagt mijn vader.

Ik voel de grond onder mij wegzinken. Wat verspreek ik mij op een ontzettend stomme manier! Ik probeer mijn gezicht in de plooi te houden, want ik voel dat ik zenuwachtig wil gaan lachen.

„Ik bedoel eh..." Ik kan niet meer op de verzonnen naam komen.

„Ja, hoe heette ze ook alweer." De sarcastische toon waarop mijn vader de vraag stelt, zorgt ervoor dat ik in verwarring raak. Welke naam had ik nou net verzonnen?

„Angela is de hond en die was vannacht ook bij me," probeer ik te redden wat er te redden valt. Ik kan nog steeds niet op de naam komen.

„Victoria," zegt mijn vader met een grijns.

„O ja, Victoria," antwoord ik zo achteloos mogelijk.

„Het is maar goed dat ik even gekeken heb, anders wist je niet eens meer wie er bij je was geweest," spot mijn vader.

„Houd er nou maar over op," zeg ik geïrriteerd.

„Weet je," gaat mijn vader toch verder. „Als het niet tot de absolute onmogelijkheden behoorde..."

Ik lig op mijn rug met gesloten ogen op de stretcher en houd mijn adem in.

„...zou ik zweren dat ik Angela Sanchez in je kamer zag."

Mijn moeder schiet in de lach. „O liefje, wat ben je toch een ellendige pestkop. Laat die jongen toch met rust."

Is dit pesten toevallig of heeft mijn vader haar echt herkend?

„Ik ga zwemmen," zeg ik. Ik sta op en spring in het water. Angela is al zo aan me gehecht dat ze me achterna duikt. Ze probeert te blaffen, maar dan loopt haar bek vol water. De badmeester van het hotel komt meteen aangelopen en roept dat honden in het zwembad verboden zijn. Ik loop met Angela naar het strand en we duiken in de golven van de zee. Angela valt elke golf luid blaffend aan en ik breek de golven door er vol in te springen.

„Angela!" roep ik zo hard mogelijk, zonder boven het lawaai van de branding uit te kunnen komen. Het lijkt alsof ik het tegen mijn hond heb, maar in werkelijkheid geef ik toe aan de drang om de naam van mijn onverwachte liefde uit te schreeuwen. Wat een goede beslissing om die hond Angela te noemen en niet Victoria. Wat stom van me dat ik die naam niet meer wist. Ik krijg het nog warm van mijn flater, ondanks het koele zeewater.

De rest van de dag breng ik in mijn eentje op het strand door en lijd in stilte. De verliefdheid uit zich in ondraaglijk verlangen naar 'mijn' Angela. Ik zit, dik ingesmeerd met zonnebrandolie, in de branding over de zee te staren. De hond zit naast me en staart met me mee. Voor de zekerheid heb ik ook wat zonnebrand op haar neus gesmeerd. Kunnen honden eigenlijk verbranden? De uitloper van een golf gooit mij

bijna omver, ik spreid mijn benen, zet mijn handen naast mij en houd stand.

Ik probeer Angela met alle macht voor de geest te halen, maar het lukt niet. Het vreemde is dat ik bijna iedereen in mijn gedachten kan zien, maar het beeld van Angela niet. Het enige wat ik van haar voor de geest kan halen is haar gespierde buik.

Waar zou ze nu zijn? Hoe zou ze nu over mij denken? Denkt ze nog wel aan mij?

Haal ik mij niet te veel in mijn hoofd? Zij rijdt in een Ferrari en ik op een fiets en ik ben nog niet eens oud genoeg om een rijbewijs te halen. Zou ze eigenlijk wel net achttien zijn? Ze heeft immers een rijbewijs. Hoe lang doe je er in Spanje over om je rijbewijs te halen?

Angela is beroemd en wordt door haar omgeving gedwongen om uiteindelijk te trouwen met een adellijk persoon. Mij kent niemand en het maakt mijn ouders niet zoveel uit met wie ik ga, als het maar een beetje een net type is.

Zij vecht tegen stieren en is een held. Ik bekommer me om een uitgehongerd hondje en ben een gevoelig lulletje. Zij kan tegen bloed en ik niet. Als nou twee mensen verschillend zijn, zijn zij en ik het wel. Dit koppel heeft geen schijn van kans. Of is het juist het verschil tussen ons dat ervoor zorgt dat we bij elkaar passen? Maar dan zou ik als man toch de dappere moeten wezen. Ik besluit haar zo snel mogelijk uit mijn hoofd te zetten.

Een golf werpt mij omver. Ik ga kopje-onder en Angela blaft.

„Je hebt gelijk," zeg ik tegen mijn viervoeter. „Ik heb jou in ieder geval nog en het is jouw verdienste dat ik ooit de beroemde stierenvechtster heb mogen ontmoeten."

Angela wordt door de golven de zee in getrokken. Ik vis

haar uit het water en ga onder een rieten parasol liggen. Angela's vacht is kletsnat en zit onder het zand. Ze gaat boven op mijn buik liggen en rolt zich op. Ik aai het beest over haar kop en val in slaap.

Als ik wakker word is het al tegen zessen.

„Zo, ik ben Angela vergeten," zeg ik tegen Angela. „We gaan nu eerst even het stadje in om echt hondeneten voor je te kopen."

Ik loop naar het zwembad waar ik op de stretcher mijn kleren en slippers heb achtergelaten. Mijn ouders zijn weg en ik voel of er nog genoeg geld in mijn broekzak zit. Ik tel de munten; het is ruim voldoende om voer voor de hond te kopen. Ik hoef dus niet terug naar mijn hotelkamer en wandel rechtstreeks het stadje in.

Ik ben vastbesloten om niet meer aan Angela te denken, maar dat blijkt een onmogelijke opgave. Overal hangen nog de affiches van het stierengevecht: vanaf elk reclamebord, vanaf elke lantaarnpaal en vanaf elke muur kijkt ze me aan en lees ik haar naam. En telkens krijg ik een steek in mijn hart als ik haar zie. Het is natuurlijk geweldig dat ik haar ontmoet heb. Dan heb ik dat ook weer meegemaakt in mijn leven. Maar ik zou toch willen dat het niet gebeurd was. Ik word er zo verdrietig van dat ik haar nooit meer zal zien, dat ik me er bijna niet overheen kan zetten.

„Angela!" schreeuw ik. Angela stopt net op tijd en de auto gaat vlak voor haar langs.

„Kijk uit, anders rijden ze je nog dood," zeg ik geschrokken. „Spanjaarden stoppen niet voor honden." Angela kwispelt en samen wachten we tot het voetgangerslicht op groen springt.

Aan de overkant hangt weer een affiche.

„Als ik zou moeten kiezen tussen jou en die vrouw," zeg ik tegen mijn hond, „koos ik voor jou." Dat kan ik makkelijk beloven, want ik heb niets te kiezen.

We steken over en na een tijdje zoeken, vinden we in een achterafstraatje een dierenwinkel. Ik koop een blik vlees, een pak hondenbrokken, een kluif, een kilo pens, een voederbak, een drinkbak en een halsband.

Een borstel moet ik terugleggen omdat ik niet genoeg geld bij me heb.

Ik drink een cola op een terras en mijn ego wordt opgepoetst omdat er wel twee mooie meiden naar me kijken en oogcontact met me proberen te maken. Onder normale omstandigheden zou ik dat leuk vinden, maar de Angela-ziekte heeft mij in haar greep.

Hoofdstuk 9

Als ik mijn kamer binnenkom is er een grote, indrukwekkende envelop onder de deur door geschoven.

'Mr. Rutger, Marbella Beach Hotel, room 34' staat er met zwarte viltstift op geschreven.

Er zitten geen postzegels op de envelop, maar op die plek staat wel de naam van een bezorgdienst. Ik draai de envelop om en lees de initialen A.S. als afzender. „Angela Sanchez," mompel ik. Ik word helemaal duizelig.

Angela blaft en probeert de pens uit de plastic tas te vissen.

„Wacht even, af!"

Angela barst van de honger en houdt nu niet meer op met blaffen.

„Rutger! Kun je die hond niet stilhouden!" roept mijn vader van het balkon boven mij.

„Jaha!" roep ik terug.

„Mag ik nu wel kijken?" vraagt mijn vader, terwijl hij weer naar binnen kijkt. „Of heb je zojuist Victoria de Tweede je hol binnengesleept?"

Achteloos gooi ik de envelop achter de bank. Ik vul de voederbak met pens.

„Ik heb eten voor de hond gekocht. Pens."

„Dat ruik ik," zegt mijn vader. „De volgende keer moet je gewassen pens kopen, want deze lucht ruik je nog dagen." Het stinkt inderdaad ontzettend, maar Angela is er erg blij mee, want ze schrokt de pens al kwispelend naar binnen.

„We gaan over een half uurtje uit eten. We proberen het

weer in dat restaurant waar de asperges zo goed moeten zijn. Ga je mee?"

„Ja, ik kom eraan," zeg ik op een toon die duidelijk maakt dat het gesprek beëindigd is. Ga nou maar weg, want dan kan ik kijken wat Angela geschreven heeft. Ik barst van nieuwsgierigheid.

„Tot zo!" Mijn vader trekt zich terug.

Snel pak ik de envelop en ga op de bank zitten. Ik haal diep adem. Ik bereid me voor op een teleurstelling. Waarschijnlijk schrijft ze dat wij elkaar niet meer kunnen ontmoeten om redenen die ik vast wel begrijp. Een zestienjarige jongen is te jong voor haar. Natuurlijk wil ik dat wel begrijpen, maar ik vind het niet leuk. En als ik het nou niet begrijp, verandert dat dan wat aan de situatie? Ik denk dat ik dat terug ga schrijven, dat klinkt goed.

Ik besef dat ik in mijn zenuwen al een brief aan het beantwoorden ben die ik nog niet eens geopend heb. Trillend van spanning scheur ik de envelop open.

Er zitten drie kaarten in voor het stierengevecht aanstaande zondag in Madrid en een prachtige foto van Angela op een paard. Op de achterkant heeft ze wat geschreven.

My beloved Rutger,

I will never forget you.
Please, don't forget me.
Come to Madrid with your parents (see tickets)
I love you!

Your Angela

xxxxxxxxxxxxxx(ses)

„Mijn geliefde Rutger," vertaal ik hardop, terwijl Angela haar kop met de flaporen schuin houdt en denkt dat ik het tegen haar heb. „Ik zal je nooit vergeten. Alsjeblieft, vergeet mij niet. Kom naar Madrid met je ouders. Zie kaartjes. Ik hou van je. Je Angela. En die kruisjes staan voor kusjes." Ik tel ze, het zijn er veertien. Ik geloof mijn ogen niet. Ik lees de brief nog een keer hardop in het Engels, daarna weer in het Nederlands. Ik kijk op de voorkant van de envelop. Is die brief echt van Angela of is het een grap van mijn vader en probeert hij me met deze misplaatste practical joke weer naar een stierengevecht te krijgen. Ik ruik aan de brief of ik het parfum van Angela herken. Nee, het papier ruikt naar papier.

Mijn vader is een grapjas, een 'practical joker', zoals hij zelf vaak zegt, en deze brief moet wel van hem afkomstig zijn. Dat 'kom naar Madrid met je ouders' zou Angela toch nooit schrijven. Mijn vader gaat altijd te ver met zijn grappen en daarom zijn ze zo doorzichtig. Maar hoe komt hij aan die foto van Angela? Ik bekijk hem nog eens goed en kom tot de conclusie dat het gaat om een publiciteitsfoto die hier in Spanje overal te krijgen moet zijn. Ik lees wat er op de drie toegangskaarten staat. 'Las Ventas, Plaza de toros de Madrid' staat in vette letters boven een prachtige foto van Angela Sanchez in gevecht met een stier. Er staat ook een prijs op. De kaartjes voor het gevecht zijn tweehonderd euro per stuk! Ik denk na en heb al snel een plan klaar om mijn vader erin te laten lopen.

Ik ga snel onder de douche om het zand van me af te spoelen. Tot mijn verrassing komt Angela bij mij onder de douche staan.

„Wat ben je toch een vreemde hond! Normale honden hebben er een hekel aan om gewassen te worden."

„Waf!" antwoordt ze blij.

Ze laat de warme stralen op haar rug kletteren en kwispelt aan één stuk door. Ik was haar vacht met dennenshampoo en schiet een beetje uit met de fles. Het duurt lang voordat ik alle shampoo uit haar vacht heb gespoeld, maar ze laat het allemaal kwispelend toe.

Ik droog haar af en daarna föhn ik haar. Ze vindt het geweldig en af en toe valt ze grommend de föhn aan.

Uiteindelijk glimt haar vacht als de lak van een auto uit de showroom en ruikt ze frisser dan ooit. Het is geen zielig mager hondje meer, constateer ik, en als we nog een week verder zijn vermoed ik dat je haar ribben ook niet meer kunt tellen.

Er wordt op de deur geklopt.

Angela? Mijn hart klopt in mijn keel. Snel doe ik de deur open.

„Ga je mee?" vraagt mijn vader.

Ik zucht en knik.

„Als je geen zin hebt, hoeft het niet."

„Jawel, ik kom."

We rijden met de auto naar het restaurant dat de dag tevoren door Angela en haar gezelschap was afgehuurd. Angela de hond heeft waarschijnlijk nog nooit in een auto gezeten, want ze springt onrustig heen en weer en kijkt haar ogen uit. Ze is een beetje zenuwachtig en laat een wind.

„Dat komt door die pens," zegt mijn vader.

„Zo snel al?"

„Kunnen we het niet ergens anders over hebben, ik moet nog eten," zegt mijn moeder.

We zetten de autoraampjes wijd open. Ik kan nog net verhoeden dat Angela de rijdende wagen uit springt. Na een tijdje wordt ze rustig en geniet ze zelfs van het rijden.

Als we het restaurant binnengaan, zie ik de man met het staartje in de keuken staan. Hij herkent me en groet. Het is

al redelijk druk in het restaurant.
„Ken je die man?" vraagt mijn vader.
„Nee," jok ik.
„Welkom," zegt de ober. „Gisteravond was de wereldberoemde stierenvechtster Angela Sanchez hier op bezoek. U mag, als u dat wilt, aan dezelfde tafel zitten waaraan zij gisteren zat!"
„Dat is helemaal geweldig," zegt mijn vader.
De ober gaat ons voor.
„Daar zat Angela Sanchez!" zegt hij trots en wijst op een tafel vlak bij het raam.
„Op welke stoel heeft ze gezeten?" vraagt mijn vader.
De ober wijst een stoel aan.
„Daar mag jij dan op gaan zitten, Rutger!" grijnst mijn vader.
„Wat bof jij!" roept mijn moeder enthousiast uit.
„Misschien is de stoel nog een beetje warm," zegt mijn vader.
„Deze avond zit vol verrassingen!" roept mijn moeder.
Ik weet nu zeker dat ze me er proberen in te laten lopen met die brief. Maar ik laat nog niets merken en ga onverstoorbaar zitten op de bewuste stoel. Ik moet zeggen dat ik inwendig behoorlijk opgewonden ben bij het idee dat ik nu op dezelfde stoel zit als Angela de avond tevoren. De andere Angela gaat onder mijn stoel liggen en valt in slaap.
„Zullen we beginnen met een flesje champagne?" stelt mijn moeder voor.
„Een flesje maar?" vraagt mijn vader.
„Een fles," zegt mijn moeder lachend.
„Goed idee. Champagne! Daar zou ik zelf nou nooit opgekomen zijn," zegt mijn vader en geeft mij een knipoog.
Er komt een echtpaar het restaurant binnen. De ober deelt ze verheugd mee dat ze aan de tafel mogen zitten waaraan

Angela Sanchez gisteren ook heeft gezeten. Hij zet hen aan de tafel naast de onze.

„Die Sanchez heeft waarschijnlijk alle tafels in het restaurant uitgeprobeerd," grinnikt mijn vader. „Straks bieden ze ons voor een spotprijsje de kliekjes aan die zij heeft laten staan."

Ik kan niet langer wachten en besluit de aanval maar eens te openen. „Wat gaan we zondag doen?"

„Hoe bedoel je?" vraagt mijn vader.

„Wil je soms weer naar een stierengevecht?" Mijn moeder lacht me uit.

Had ik maar gewoon een tent gewonnen, dan was ik naar Texel gegaan. Als je zestien bent, ga je niet meer met je ouders op vakantie en zeker niet met zo'n grappig stel ouders als ik heb.

Alhoewel, als ik naar Texel was gegaan had ik Angela en Angela nooit ontmoet en dat had ik voor geen goud willen missen. „Ik zou er inderdaad geen bezwaar tegen hebben om nog eens zo'n gevecht te zien," provoceer ik.

„Meen je dat?" zegt het tweetal in koor. „Je vond het toch vreselijk? Je kunt niet tegen bloed en je hebt medelijden met de stier! Hoe kan dat nou, je leek zo vastbesloten toen je zei dat je nooit meer naar een stierengevecht zou gaan?"

O, wat zijn ze doorzichtig!

„Ja, maar toch fascineert het me," mompel ik.

„Wat fascineert je dan zo, dat je jezelf nog een keer wilt kwellen?" vraagt mijn moeder.

„De stierenvechter..."

„Ik snap er niets van."

„We zouden naar Ronda of Sevilla kunnen gaan!" oppert mijn vader.

„Is er ook een arena in Madrid?" vraag ik.

„Is er een arena in Madrid!" roept mijn vader, zijn hoofd

meewarig schuddend over zoveel onbenul. „Mijn zoon, luister! De las Ventas aan de Plaza de toros is het Mekka van het stierenvechten!"

De ober ontkurkt een fles champagne en schenkt de glazen van mijn ouders vol. Ik drink mijn cola, ik zou nu zeker geen alcohol kunnen verdragen.

„Zijn dit soms ook de glazen waar Angela Sanchez uit gedronken heeft?" vraagt mijn vader. De ober doet alsof hij de sarcastische opmerking niet heeft gehoord.

„Proost! Op mijn zoon, die op onverklaarbare wijze toch nog een keer naar een stierengevecht wil!" zegt mijn vader.

„Er is niets veranderlijker dan een kind van jou," zegt mijn moeder.

„Ach, ergens wist ik toch dat hij uiteindelijk door de knieën zou gaan voor de hartstocht van het stierenvechten. Ik ken mijn zoon als geen ander."

Ik vind het toch knap, hoe slim die ouwe van mij dit allemaal in elkaar heeft gestoken.

„Weet jij misschien, pa, waar die Angela Sanchez zondag vecht?"

„Aha! Dacht ik het niet. Je valt net zoals ik op die mooie meid van Sanchez! Ober!"

„Sí, señor?"

„Waar vecht Angela Sanchez aanstaande zondag?"

„Las Ventas, Madrid!" zegt de ober.

„Echt waar?" Mijn vader klapt in zijn handen van verrukking. „Dat is toevallig! We hadden het net over Madrid!"

„Ja, dat is wel héél toevallig." Ik probeer zoveel mogelijk cynisme in mijn stem te leggen, maar mijn vader slaat er geen acht op.

„Sí, señor, Plaza de toros!"

„Wat geweldig! Kunnen we daar nog kaarten voor krijgen?"

„Nee, meneer, dat is onmogelijk! Dit gevecht is al een jaar

uitverkocht. Misschien op de zwarte markt." De ober excuseert zich en loopt naar de keuken.

„Jammer, dat gaat dan niet door," zeg ik.

Als ik nu niets zeg van die kaarten, dan laat mijn vader dat voor zoveel geld natuurlijk niet voorbijgaan en moet hij wel over de brief beginnen. Ik heb de zaak nu helemaal onder controle.

„Eerlijk gezegd wilde ik je verrassen," zegt mijn vader opeens.

Nou, daar komt het hoge woord eruit.

„Toevallig heb ik voor zondag een hoop geld uitgegeven," gaat mijn vader langzaam verder.

„Zeg dat wel," onderbreek ik hem.

„Weet je ervan?" vraagt hij verbaasd.

„Ja, ik had het meteen door."

„Heb jij het verklapt?" vraagt hij aan mijn moeder.

Mijn moeder schudt van nee.

„Houden jullie eens op met die komedie," barst ik los. „Ik had toch meteen door dat jullie die brief hadden geschreven. Ik vind het wel een erg lang doorgevoerde grap en ook erg flauw."

Mijn ouders kijken me verbaasd aan. Ze spelen het allebei fantastisch, wat een rasacteurs.

„Beste Rutger," zegt mijn vader, „ik weet niet waar jij het over hebt, maar ik heb voor zondag een wedstrijdcatamaran gehuurd en ons ingeschreven voor de Marbella-cup. Wij gaan die wedstrijd met z'n tweeën zeilen!"

Mijn mond valt open van verbazing.

„Echt?" vraag ik. Onder normale omstandigheden zou ik een gat in de lucht springen van vreugde, want ik ben gek op zeilen.

Ze knikken allebei. Ik besef opeens dat ze niets met die brief te maken hebben.

„Maar waar had jij het dan over?” vraagt mijn vader.

Het zweet breekt me uit. Die brief is dus geen grap, die brief komt echt van Angela!

„Voel je je niet goed, Rutger?” vraagt mijn moeder bezorgd.

„Ik... eh... had ook een verrassing voor jullie,” hakkel ik met een rooie kop in een poging om voor de zoveelste keer deze vakantie een verhaal recht te breien.

Mijn ouders reageren niet, maar kijken me bezorgd aan.

„Ik heb ook een verrassing voor jullie,” herhaal ik.

„Dat zeg je nu al voor de tweede keer, ik ben nu wel heel erg benieuwd,” zegt mijn vader.

Ik haal de drie toegangskaartjes uit mijn zak en leg ze op tafel.

„Hoe kom jij daaraan?” vraagt mijn vader. Nu is het zijn beurt om verbaasd te zijn.

„Gekocht.”

„Waar?”

„Dat vertel ik nog wel eens.” Ik ben opeens heel erg moe en wil naar bed.

„Wat een dure plaatsen!” zegt mijn moeder. „Hoe kom je aan dat geld?”

„Gespaard.”

„Eretribune,” leest mijn vader.

De kok met het staartje komt aan onze tafel staan. „Ik zou u graag van wat suggesties willen voorzien.”

„Nou graag,” zegt mijn moeder.

„Leuk dat je er ook bent,” zegt de kok tegen mij.

Ik knik alleen maar.

„Droom je nog steeds van Angela Sanchez?” vraagt hij mij tot overmaat van ramp.

Ik zak onderuit op mijn stoel en bloos tot achter mijn oren.

„U kent mijn zoon?” vraagt mijn vader.

„Ja, ik heb gisteravond met hem staan praten. We stonden samen naar het vertrek van Angela Sanchez en haar gevolg te kijken."

„Jullie tweeën stonden te kijken toen ze uit het restaurant vertrok?" vraagt mijn vader verder.

Ik zou er geen bezwaar tegen hebben als nu de bom in het restaurant zou ontploffen die gisteren bij het bezoek van Angela over het hoofd is gezien.

„Nee, Angela Sanchez logeerde hier een nacht in Puente Romano en we stonden beiden te kijken hoe ze in haar Ferrari stapte, gevolgd door managers, lijfwachten en familieleden in limousines. Zo heeft iedereen zijn dromen." De kok geeft mij een knipoog.

„Toen we hier binnenkwamen, zei je dat je deze meneer niet kende." Mijn vader kijkt mij vragend aan.

„Ik weet niet meer wat ik moet zeggen," kerm ik. Ik moet een behoorlijk verslagen indruk maken, want de drie volwassenen tegenover mij kijken me met meelijwekkende blikken aan.

„Ik kan me wel voorstellen dat uw zoon mij niet meer herkende," komt de kok mij te hulp, „want hij had alleen maar oog voor Angela Sanchez, en dat is toch begrijpelijk."

„Ja," zegt mijn vader, „onze zoon heeft zelfs kaarten geregeld voor zondag in de Las Ventas-arena in Madrid." Hij wijst op de kaartjes op tafel.

De kok pakt de kaartjes en bestudeert ze. „Dat is bijzonder!"

„Dat vinden wij ook," spreekt mijn vader mede namens mijn moeder die enthousiast knikt.

„Want deze kaarten," gaat de kok verder, „daar kunnen gewone mensen niet aankomen."

„Hoe bedoelt u?"

„Zulke plaatskaarten kun je alleen kopen als je een vip bent,

een very important person. Meestal wordt zo'n kaartje op persoonlijke uitnodiging van de stierenvechter of de organisatie gegeven."

„Kunt u nagaan hoe hoog onze zoon ons acht," zegt mijn vader.

„Het is niet ondenkbaar dat u zondag vlak naast de koning zit!" zegt de kok, nog steeds niet van de verbazing bekomen.

„Meent u dat werkelijk?" vraagt mijn moeder.

„Ja, mevrouw. Ik kan het voor u navragen." De kok roept de ober, ratelt wat in het Spaans en de ober zegt: „Sí".

„U zit naast of in ieder geval vlak bij de koning, want die is een fan van Angela Sanchez en zal zeker aanwezig zijn. Waarschijnlijk de minister-president ook," zegt de kok opgewonden.

„En ik heb niets om aan te trekken," roept mijn moeder in paniek uit.

„Je bent aardig aan het jokken tegen ons, Rutger."

„Ik kan het uitleggen," zeg ik tegen beter weten in.

„Hoe gaat u de asperges voor ons klaarmaken?" vraagt mijn vader.

Ik ben hem dankbaar dat hij het over een andere boeg gooit.

Gedurende de maaltijd mijden we het onderwerp stierenvechten en alles wat daarmee samenhangt. Een Spaans trio met gitaren begint aan een andere tafel liederen te zingen.

Bij de koffie vraagt mijn vader terwijl hij genoeglijk aan een indrukwekkende Cubaanse sigaar trekt: „Rutger, hoe ben je aan die kaartjes gekomen?"

„Gekocht."

„Dat geloof ik niet. Ze zijn veel te duur en er is bijna niet aan te komen. Maar één ding moet je me verzekeren. Je hebt ze toch niet gestolen, hè?"

„Nee."

„Dus wij lopen zondag niet het risico om op de vip-tribune voor het oog van heel Spanje gearresteerd te worden?"

„Nee, natuurlijk niet."

Mijn vader en moeder kijken me aan. Langzaam laat mijn vader de rook van de sigaar uit zijn mond ontsnappen. Ze verwachten een verklaring voor mijn vreemde gedrag. Ik denk dat als ik de waarheid vertel, ze me niet zullen geloven. Ik haal mijn schouders op en kijk ze wanhopig aan.

„Hoe heb je het 'm nou geflikt?" helpt mijn vader.

„Ik heb ze gekregen." Dit is de waarheid, maar nu moet hij maar niet verder vragen.

„Maar welke Spanjaard zou het in zijn hoofd halen om zulke felbegeerde toegangskaarten aan een gewone Hollandse jongen te geven, die bovendien niet eens van stierenvechten houdt?"

Ik haal diep adem en ik besluit om mijn ouders de waarheid maar te vertellen, alhoewel er diep in mijn binnenste een stemmetje is dat roept: niets zeggen! Ik weet dat ik het risico loop dat ze me niet zullen geloven na alle verhalen die ik ze al op de mouw heb gespeld.

Ik doe mijn mond open, en op dat moment komt het Spaanse gitaartrio bij ons tafeltje staan. Of we een verzoeknummer hebben. Mijn moeder heeft er gelukkig een: 'Un, dos, tres', een oude hit van Ricky Martin.

Als ik 's avonds laat in mijn appartement terugkeer, knippert het lichtje van mijn telefoon ten teken dat er een bericht voor me is. Ik luister de voicemail af en hoor de stem van Angela. Ik slaak een kreet van vreugde.

„Bel me na twaalf uur op."

Ik noteer het nummer dat ze eerst in het Spaans zegt en daarna in het Engels. Het is al vijf over twaalf: ik kan meteen bellen! Ik draai het nummer.

„Sí?"

„Angela?"

„Sí."

„Ik ben het, Rutger!"

„O, Rutger, ik verlang zo naar je!"

Het zweet breekt me meteen aan alle kanten uit. Ik ben nog steeds niet aan de luxe gewend dat een meisje zo onomwonden zegt dat ze me ziet zitten.

„Zal ik meteen naar je toe komen?" stel ik voor.

„Dat kan niet."

„Waarom niet?"

„Ik ben in Zaragoza. Ik lig in bed en telefoneer stiekem met jou. Dit nummer is van mijn mobiele telefoon."

„Angela, ik hou van je!"

„Ik hou nog meer van jou, Rutger!"

„Dat kan niet, want ik hou het meest van jou."

„Hoeveel hou je dan van me?"

„Zoveel als er waterdruppels in de zee zijn en zandkorrels in de woestijn."

„Dan heb ik gewonnen, Rutger! Want ik hou evenveel van je als er waterdruppels in de zee zijn, zandkorrels in de woestijn plus alle sterren in het heelal!"

„Dat is veel," zeg ik met een schorre stem. Ik heb tranen in mijn ogen van vreugde. Ik wil naar haar toe!

„Hoe is het met Angela?" vraagt Angela.

„Goed, ze wordt dikker. Ik zal je haar even geven." Ik hou de telefoonhoorn bij het hondenoor en ik hoor Angela 'Angela' roepen. Angela herkent haar stem door de telefoon en kwispelt.

Ik blaf.

„Ze blaft naar je," zeg ik.

„Nee, dat was jij. Rutger, we zijn betrapt. Iemand heeft ons samen gezien en dat tegen mijn ouders gezegd."

„Shit! Dat is heel erg."

„Ik heb het natuurlijk ontkend, maar mijn ouders houden mij nu extra in de gaten, zodat het heel moeilijk wordt om elkaar te ontmoeten."

Ik voel mijn knieën knikken en laat me op de bank vallen. Nu gaat ze het uitmaken! Mijn wereld stort in!

„Ik heb ook de nodige opmerkingen van mijn ouders gehad. Maar mijn vader heeft je gelukkig niet herkend toen hij de kamer inkeek."

„We zitten behoorlijk in de problemen."

„Angela, mag ik je wat vragen?"

„Ja, natuurlijk."

„Vind je het erg rot dat ik pas zestien ben?"

„Nee joh, helemaal niet."

„Echt niet?"

„Echt, heus, waar, echt, echt, echt niet."

„Ik was bang dat je het daarom zou uitmaken."

„Nee, ik val juist op jonge jongetjes... grapje!"
Op de een of andere manier kan ik niet om het grapje lachen.
„Rutger, mag ik jou wat vragen?"
„Tuurlijk."
„Vind je het erg dat er een achttienjarige oude vrouw als ik verliefd op je is?"
„Nee, al was je honderd, dan zou ik nog verliefd op je zijn!"
Angela schiet in de lach.
„En nu?" vraag ik.
„Ik weet het niet."
„Je kunt me toch aan je ouders voorstellen?"
Aan de andere kant van de lijn valt een stilte. Ik denk iets te horen van een snik...
„Rutger, ik moet je wat vertellen."
„Je mag alleen verliefd worden op iemand van adel."
„Hoe kom je daar nou bij?" Ze lacht gelukkig weer.
„Dat had ik gehoord."
„Welnee, maar in mijn sponsorcontract is bepaald dat ik tot mijn tweeëntwintigste geen vaste relatie mag hebben."
„Waarom niet?"
„Dat schijnt commercieel beter te zijn."
„Wat belachelijk!"
„Nou, als je het bedrag ziet dat eraan vastzit, vergoedt dat veel."
„Dan houden we het toch geheim?"
„Ik denk dat dat het beste is, lieve Rutger." Ik smelt helemaal als ze me 'lieve Rutger' noemt. „Maar mijn ouders mogen het ook niet weten."
„Maar die kunnen het toch ook geheimhouden?"
„Zij zijn van mening dat zoiets altijd uitkomt en daarom willen ze niet dat ik vóór mijn tweeëntwintigste verliefd

word. Maar dat contract is natuurlijk ook voor mijn ouders een mooie reden om mij van de jongens weg te houden. Je weet hoe ouders zijn. Het komt toch niet van jouw vader af?"

„Wat?"

„Dat ik bij jou ben geweest?"

„Nee, mijn vader zou ons nooit verraden! Trouwens, toen hij naar binnen keek, heeft hij je echt niet herkend."

„Mijn ouders zijn echt kwaad op me, ze behandelen me als een kind."

„Maar verliefd worden overkomt je... Dat heb je toch niet in de hand, dat weten zij toch ook wel!"

„Rutger, had jij gedacht dat je zo heftig verliefd op me zou worden?"

„Nee."

„Nou, ik dacht ook dat het me niet zo snel zou overkomen, dus heb ik ze beloofd dat ik niet verliefd zou worden vóór mijn tweeëntwintigste."

„Ik hoop toch wel dat we elkaar af en toe kunnen zien."

„Dan moeten we hele slimme plannen verzinnen."

„Zondag kom ik naar Madrid! Dank je wel voor de lieve brief en voor de kaarten."

„Daar wil ik je ook even over spreken, Rutger. Die kaarten heb ik een beetje te impulsief naar je opgestuurd."

„Gaat het niet door?"

„Jawel, maar wat heb je tegen je ouders gezegd?"

„Dat ik kaarten heb."

„Heb je gezegd van wie je ze hebt gekregen?"

„Nee."

„Gelukkig. Weten ze echt heus waar niet van ons?"

„Nee."

„Dat is een pak van mijn hart! Dan is er niets aan de hand, zolang niemand het weet."

„Afgesproken."

„Je kunt me altijd na twaalf uur bellen op dit mobiele nummer. Mijn ouders zullen er nooit achter komen dat ik onder de dekens contact met jou heb."

Hoofdstuk 10

De volgende dagen bel ik elke keer vlak na twaalven met Angela. We praten, maken plannen voor de toekomst en vertellen elkaar in de mooiste, meligste, grappigste en opwindendste bewoordingen hoeveel we van elkaar houden.

„Waar zullen we gaan wonen als we getrouwd zijn, Rutger?"

„Je bedoelt in Spanje of in Nederland?"

„Nee, ik bedoel in Spanje of in Spanje."

„Je wilt alleen in Spanje wonen, Angela?"

„Ja, dat is het mooiste land van de wereld."

„In dat geval wil ik ook graag in Spanje wonen. Denk je dat ze in Spanje een dierenarts nodig hebben?"

„Ja, natuurlijk! Er is een groot tekort aan dierenartsen."

Ik merk tijdens de gesprekken dat ze vaak moe is van het stierenvechten. Ik ontdek dat ze geen gemakkelijk leven heeft. Ze reist heel Spanje door en heeft iedere avond wel ergens een stierengevecht. Die avond dat wij elkaar ontmoetten was net haar enige dag vrij. Ze moet zich staande houden in een mannenwereld en mag geen zwakheden tonen. Elke zwakte leidt tot een beoordelingsfout, en de kleinste beoordelingsfout kan dodelijk zijn.

„Mijn grootste angst is dat ik een fout maak," zegt ze.

„Dus je bent niet bang voor de stier?"

„Nee, ik ben bang dat ik voor de ogen van het publiek faal. Omdat ik een vrouw ben, moet ik beter zijn dan een man. Er zijn mensen die zeggen dat je even sterk moet zijn als een man om goed te kunnen vechten met de stier, maar dat is onzin. Een stierenvechter kan met een stier niet de strijd aangaan op het gebied van kracht. Dat wint de stier altijd. Het gaat om de techniek en de ervaring die je hebt."

„Heb je altijd zin om te vechten?"

„Soms heb ik overdag geen zin om 's avonds oog in oog te staan met een stier," vertrouwt ze me toe. „Maar als ik in de ring ben, vind ik het altijd geweldig."

„Heb je nooit medelijden met de stier?"

„Soms, als ik vind dat het gevecht te lang duurt."

„Jij bent dus nooit bang voor beesten."

„Ik ben doodsbang voor spinnen," zegt ze en ik schiet in de lach. Een stierenvechter die bang is voor spinnen, zoiets verzin je toch niet?

Vaak word ik bevangen door de angst dat ze niet meer verliefd op me zal zijn als ze me wat langer kent en erachter komt dat ik een watje ben. Want ze weet nog steeds niet dat ik niet tegen bloed kan en een stierengevecht al helemaal niet kan aanzien.

Die zaterdagavond kan ik haar niet bellen omdat ze een lange nacht wil slapen om helemaal uitgerust te zijn voor het gevecht in Madrid. Ik ga ook vroeg naar bed om het zo snel mogelijk morgen te laten zijn, net als toen ik klein was op de dag voor mijn verjaardag.

Ik verlang er de hele week al zo heftig naar om haar te zien, dat ik nu pas echt besef dat zij morgen oog in oog met een stier staat, met mij als toeschouwer. En die stier zou wel eens kunnen winnen. Is het niet zo dat als je verliefd bent en je liefde zit op de tribune, dat je dan minder geconcentreerd bent? Zou ze tijdens het gevecht mij even willen zien zitten? Op het moment dat ze haar hoofd omdraait, stoot de stier meedogenloos toe...

In mijn bed doorsta ik duizend angsten. Ik kan het ook aan niemand kwijt. Ik heb beloofd niets aan mijn ouders te vertellen, daarom is er ook sprake van een verkoeling tussen hen en mij. Ze snappen terecht niet dat ik hun niet vertel hoe ik aan die kaarten kom en waarom mijn gedrag in het restaurant zo vreemd en leugenachtig was. Mijn vader heeft al een paar keer een poging gedaan om vertrouwelijk met me te praten.

„Ik kan echt niets zeggen, pa," zeg ik wanhopig.

„Waarom dan niet?"

„Ik heb het beloofd, en als ik het je zou vertellen, dan geloof je me toch niet."

„Maar je kunt me vertrouwen, jongen."

„Ja, dat weet ik, maar het lost niets op als ik het je vertel."

Bovenal blijft het voor mij moeilijk te bevatten dat Angela van me houdt. Vooral als ik haar op televisie zie en van alle kanten merk hoe beroemd ze is en dat alle mannen het als het ultieme geluk beschouwen om zo'n vrouw te hebben. Terwijl ze nog een meisje is, ondanks haar achttien jaar. Het is toch onvoorstelbaar dat deze ster verliefd is op mij: een gevoelig watje dat goed is in het maken van prijswinnende kijkdozen.

Soms denk ik dat het gewoon een droom is. Dat ik in een waanzinnige fantasiewereld leef waarin alles kan gebeuren, en dat als ik wakker word, ik erachter zal komen dat ik toch met mijn vrienden op Texel kampeer.

Maar Spanje is realiteit, Texel niet. Angela bestaat echt en ik kan het allemaal nauwelijks bevatten. Ik ben verliefd, verward, gelukkig, ongelukkig en ik wil Angela weer zien. Ik kan de slaap niet vatten.

De andere Angela ligt aan mijn voeteneinde, ze wordt wakker en kijkt mij even aan.

„Er is niets aan de hand, ga maar weer slapen," zeg ik.

Ze kwispelt even, legt haar kop weer tussen haar voorpoten en met een diepe zucht slaapt ze verder.

Hoofdstuk 11

We vertrekken 's ochtends vroeg naar Madrid. Het is een lange rit als je uit Marbella moet komen. Mijn ouders hebben de smoor in omdat ik ze nog steeds niet wil vertellen hoe ik aan die kaarten ben gekomen. Hun aanvankelijke enthousiasme voor het gevecht is verdwenen, ondanks het feit dat mijn moeder zich wel heeft kunnen uitleven in de winkels van Marbella om de mooiste jurk van Spanje te kopen.

Mijn ouders zijn natuurlijk ook bang voor moeilijkheden als we straks zo tussen de vips zitten, want zij kunnen niet geloven dat ik op een nette manier aan die plaatsen ben gekomen.

„Ik ben heus op een eerlijke manier aan die kaarten gekomen," zeg ik ter geruststelling vanaf de achterbank.

„We zullen het allemaal wel merken, Rutger," zegt mijn vader afstandelijk.

Ik vind het erg rot dat ik mijn vader in zo'n stemming heb gebracht, maar ik kan er niets aan doen. Mijn moeder zwijgt nadrukkelijk en staart uit het raampje. Angela kijkt ook naar buiten en ze blaft als we worden ingehaald door een auto vol schapen.

Na twee uur rijden komen we langs Córdoba.

„Ik had liever Córdoba bezocht," zegt mijn moeder. „Het is dat de omstandigheden mij dwingen, anders was ik nooit meegegaan naar Madrid."

„Ach, Madrid is ook een mooie stad," mompelt mijn vader.

„Maar het is wel een dag rijden. En dan moeten we zeker vannacht weer terug?"

„We kunnen in een hotel."

„Ik wil niet in een ander hotel," zegt mijn moeder dwars.

„Dan rijden we terug."

„Dat wil ik ook niet!"

„Dan weet ik ook niet wat we moeten doen." Mijn vader klinkt nu wel erg moedeloos, en dat is niets voor hem.

Mijn moeder draait zich naar me om. „En jij zit daar maar en zegt niks." Ze is echt pissig op me. „Wat ben je toch een sukkel! Als je een beetje een kerel was, vertelde je gewoon hoe het zit met die kaarten. Wat is er toch met je aan de hand!? Je bent nooit een achterbakse jongen geweest! Dat ik dat als moeder nog moet meemaken, dat mijn zoon..."

„Ga die jongen nou niet onder druk zetten," zegt mijn vader. „Wees gewoon blij met de dingen die je hebt."

Ik vind het tof van mijn vader dat hij het ondanks alles voor me opneemt.

„Waar moet ik dan blij mee zijn?" vraagt mijn moeder boos.

„Met die prachtige jurk."

„Vind je hem echt mooi?"

„Prachtig!"

„Goed, dan zal ik alles eerlijk opbiechten," zeg ik zo spontaan dat ik mezelf verras.

Mijn vader rijdt pardoes de berm in en zet de auto in een wolk van stof stil.

„Ik ben benieuwd," roept hij enthousiast uit. Hij is weer helemaal in zijn oude doen.

„En anders ik wel!" valt mijn moeder hem bij.

Beiden hebben zich omgedraaid, opluchting tekent hun gezichten en ze kijken mij verwachtingsvol aan.

Ik kijk nog even naar buiten en ik ben onder de indruk van een prachtig uitzicht over de golvende heuvels. In dit mooie land ben ik van plan met Angela te gaan wonen en mijn ouders weten nog van niets.

„Wat is Spanje mooi, hè?" verzucht ik.

„Rutger, je zou ons wat zeggen."

Ik grinnik, haal diep adem en probeer mijn ouders zo volledig mogelijk het verhaal van Angela en mij te vertellen. Ik vertel hun bijna alles, maar zwijg over het hier gaan wonen, want dat lijkt me de geloofwaardigheid niet ten goede komen. Ik beschrijf uitvoerig hoe ik Angela heb ontmoet op de tennisbaan en hoe ik erbij kwam om de hond Angela te noemen. Ik zeg dat ze die nacht bij me is gebleven en dat ik verliefd op haar ben en zij op mij. Ook verklaar ik mijn gedrag in het restaurant en vertel dat ik een hekel aan die kok heb. Ik weid uit over mijn eindeloze telefoongesprekken waarin ik haar beloofd heb niets aan mijn ouders te vertellen vanwege een sponsorcontract.

Het verkeer raast langs de auto, die heen en weer schudt als er een vrachtwagen passeert. Mijn ouders luisteren en ik zie verbazing en ongeloof op hun gezichten. Ik probeer ze te overtuigen dat dit de waarheid is. Als ik bijna alles heb verteld, voel ik me erg opgelucht. Eindelijk heb ik mijn verhaal kunnen doen en ik besluit met een plechtig: „Zo is het gegaan en niet anders."

Mijn ouders kijken mij meewarig aan en mijn vader slaakt een zucht die meer bij mijn moeder past.

„Jongen," begint hij, „ik denk dat je ziek in je hoofd bent. Het gebeurt wel meer dat jonge jongens die bijna man zijn, een voor hen onbereikbare vrouw zo adoreren dat ze denken dat ze een verhouding met die vrouw hebben."

„Maar dat is niet zo! Ik kan het bewijzen!" protesteer ik.

Ik haal de foto van Angela op het paard uit mijn binnenzak te voorschijn en geef hem aan mijn vader.

Hij leest de tekst hardop voor: „My beloved Rutger. I will never forget you. Please, don't forget me. Come to Madrid with your parents. Tussen haakjes: see tickets. I love you! Your Angela."

„Die sterretjes staan voor kusjes." Het klinkt opeens heel lullig wat ik zeg.

Mijn vader zucht en kijkt naar de afbeelding van Angela op het paard.

„Geloven jullie me nu?" vraag ik.

„Nee, natuurlijk niet," zegt mijn vader tot mijn grote ontsteltenis. „Zo'n foto kun je overal krijgen, Rutger, en die tekst heb jij er zelf op gezet, omdat je erin wilt geloven. Ik had je ook niet met die Angela Sanchez moeten plagen. Waarschijnlijk is de shock van het stierengevecht je te veel geworden en om dat te compenseren doe je alsof Angela je meisje is. Je bent in de war. Bovendien val je met deze tekst door de mand, want hier schrijf je dat je ouders mee moeten naar het stierengevecht, terwijl je net vertelde dat Angela het geheim wilde houden. Het klopt niet, je spreekt jezelf tegen."

Mijn mond valt open en ik voel me duizelig.

„Maar we nemen het je niet kwalijk," zegt mijn moeder, terwijl ze een blik van verstandhouding uitwisselt met mijn vader.

„Inderdaad," neemt mijn vader het van haar over, „voor jou is je fantasie werkelijkheid geworden en we moeten met z'n drieën proberen je weer met beide benen op de grond te krijgen. De enige Angela die jou ook kent is de hond die naast je zit."

„Maar... eh... hoe kom ik dan aan die dure kaarten voor Madrid die bijna niet te krijgen zijn?"

„Merk je nu hoe je in de war bent?" reageert mijn vader. „Nu ga je ons vragen stellen waarop jij zelf het antwoord zou moeten weten."

„Van Angela Sanchez," zeg ik zachtjes. „Ik weet het zeker, de toegangskaarten komen van Angela." De moed zakt me in de schoenen.

„Als je ze maar niet gestolen hebt," zegt mijn moeder bezorgd.

„Ik heb ze niet gestolen!"

„Of heb je de kaarten van Victoria gekregen?"

„Nee, ik zei zomaar Victoria, omdat jullie het toch niet zouden geloven dat het Angela Sanchez was en dat blijkt nu ook."

„Dus toen ik toevallig bij jou naar binnen keek, zag ik je in bed liggen met Angela Sanchez?"

„Ja, je zei het zelf nog."

„Dat was een grap."

„Het was echt Angela."

„Dat is hetzelfde ongeloofwaardige verhaal als dat ik je moeder in bed zou vinden met de grootste stierenvechter aller tijden El Cordobes."

„Ik ken haar echt!" roep ik boos.

„Goed," zegt mijn vader met een meewarige glimlach, „we gaan naar Madrid, en je zult zien dat Angela Sanchez helemaal niet op je reageert. Ze kent je niet, Rutger. Later praten we erover en dan komt het allemaal wel goed."

Mijn vader draait zich om, hij start de motor en we rijden verder.

Ik zit nu aan alle kanten klem: Angela zal niet op mij reageren omdat ze onze verhouding geheim wil houden en mijn ouders zijn er dan helemaal zeker van dat ik gek ben.

„Weet je wat," zegt mijn vader, „als we terug zijn, zeg ik jouw appartement op en slaap je verder bij ons. Als je zo alleen bent, haal je je de raarste dingen in je hoofd."

Ik baal. Nu kan ik Angela nooit meer alleen ontmoeten.

„Ik wil mijn eigen kamer!" schreeuw ik als een boos kind. Ik schrik van mezelf.

„Het is voor je eigen bestwil, jongen."

Zwijgend rijden we verder. Ik kijk naar buiten en zie een Ferrari. Mijn hart klopt in mijn keel als de wagen ons passeert. Er zit een man achter het stuur.

„Luister naar het geluid van een Ferrari!" roept mijn vader enthousiast.

We schieten lekker op en hebben tijd om onderweg te lunchen. Ik verorber in een wegrestaurant de lekkerste biefstuk en lekkerste patat en de lekkerste tomaten die ik ooit gegeten heb.

Als ik in Spanje woon, moet ik met 'mijn vrouw' dit wegrestaurant zeker een keer bezoeken, denk ik opeens. Ik ben inderdaad gek geworden, want ik moet er nog even niet aan denken dat ik met 'mijn vrouw' op stap zou zijn. Daar ben ik toch niet aan toe, ik ben nog veel te jong.

Maar toch ben ik bereid om in het aangezicht van mijn grote liefde op alles 'ja' te zeggen, zelfs te trouwen als zij het vraagt. Dat beangstigt me. Is dat ook geen teken dat ik voor dit alles nog niet rijp ben? Moet ik haar nog wel zien? Bij haar verlies ik mezelf, ik heb geen eigen mening meer en reageer als een hondje dat alles doet om het baasje te plezieren.

En ben ik wel zo verliefd op haar? Ik bedoel, is het niet méér de verliefdheid om de verliefdheid en ben ik dat toevallig op Angela? En Angela is te moeilijk, te gecompliceerd, te volwassen en te hoog gegrepen voor mij.

Ik speel met de gedachte om mijn ouders gelijk te geven; ik ken Angela niet, sorry, het was allemaal een spel. Laten we teruggaan naar het hotel en het er nooit meer over hebben. Ik ben genezen.

Hoofdstuk 12

In het restaurant zitten we aan een ronde tafel in de hoek. Het is een uit ruw hout opgetrokken groot restaurant met obers gekleed in zwarte Spaanse broeken, witte overhemden met opgerolde mouwen en alle obers hebben een snor. 'Il Moustache', de snor, heet het restaurant dan ook zeer terecht.

De tafel naast ons is uitbundig gedekt en er staat een bordje 'gereserveerd' op. Boven mij aan de wand hangt een enorme stierenkop met afgesneden oren. Weer een onschuldig beest dat is gesneuveld in de arena, misschien wel door die stomme Angela.

Ik ben aan het smullen, want de patat is knapperig en de biefstuk smelt op de tong. Ik had niet verwacht dat ik onder deze omstandigheden zo'n eetlust zou hebben. Mijn ouders zijn aardig en meegaand, zoals twee verplegers met een zielige patiënt omgaan.

Zij eten ook met veel smaak en alle drie drinken we er een groot glas bier bij. Angela heeft een bak met kopvlees gekregen en ligt nu onder mijn stoel te slapen.

„Is het nou zo lekker of ligt het aan mij?" vraagt mijn vader.

„Het is zo lekker," zeggen mijn moeder en ik in koor. We schieten in de lach.

„De patat is gefrituurd in olijfolie," zegt mijn moeder.

„Dit is het ware eten," zegt mijn vader. „De gewone restaurants hebben voor mij afgedaan. Voortaan gaan we op zoek naar wegrestaurants met eerlijk voedsel die een eerlijke prijs rekenen."

„Wacht even met je oordeel tot je de rekening hebt gezien," grinnikt mijn moeder.

Aan de bar zitten vrachtwagenchauffeurs tapas te eten en naar de tv te kijken, waarop 'Love Boat' in het Spaans nagesynchroniseerd is te zien. Boven de bar hangen grote hammen en aan de wanden de onvermijdelijke foto's, tekeningen en affiches van stierengevechten. Een ventilator aan het plafond waait ons koelte toe, als we uitbuikend achterover hangend op onze stoelen de koffie bestellen.

Ik heb inmiddels een belangrijk besluit genomen. Ik kan het niet hebben dat mijn vader en moeder bezorgd naar me kijken, dat ze zichzelf niet meer zijn.

„Papa en mama, ik kan er niet meer tegen. Ik word vreselijk zenuwachtig van deze hele situatie en ik zou jullie willen vragen om met mij terug te gaan naar het hotel. Dan gaan we de rest van de tijd gewoon gezellig van de vakantie genieten. Het idee dat ik wat met Angela Sanchez heb, is een waanidee. Het spijt me dat ik zo doe, want op deze manier verpest ik het ook voor jullie."

Wat ben ik een lafaard, dat ik Angela zo laat vallen. Maar ik zie ook geen andere oplossing meer. De tranen springen in mijn ogen en ik heb een snotneus. Ik schaam me diep en ik hoop dat Angela me snel zal vergeten. Dat moet haast wel, want ik ben een bange schijterd en dat zou later toch uitgekomen zijn, en dan had zij het toch uitgemaakt.

Mijn ouders zijn er stil van. Ze laten me even met rust om bij te komen. Ik zucht en kijk naar buiten. Tot overmaat van ramp staat er tussen de auto's op de parkeerplaats net zo'n Ferrari als Angela heeft.

„Ten eerste wil ik je zeggen," begint mijn vader, „dat ik het heel dapper van je vind dat je je eigen probleem onderkent en dat je zo'n rekening met ons houdt."

Mijn moeder knikt, lacht mij lief toe en pakt mijn hand.

„Ik weet," gaat mijn vader verder, „dat elke man één keer in zijn leven de vrouw van zijn dromen ontmoet. Dan moet een man zijn kans grijpen."

„Zeg dat nou niet," mompel ik.

„Wat zeg je?" vraagt mijn vader.

„Niets."

„De vrouw van je dromen is nooit de vrouw over wie je alleen maar droomt." Mijn vader moet zijn stem verheffen, want het wordt wat luidruchtiger in het restaurant. „Die vrouw moet ook tastbaar zijn, ze is er opeens. Je praat met haar en in je stoutste dromen had je niet kunnen bevroeden dat zij de vrouw van je dromen is." Mijn vader kijkt mij en mijn moeder trots aan. Hij vindt dat hij een mooie theorie heeft neergelegd.

„Ik begrijp heus wel wat je bedoelt, lieveling," zegt mijn moeder. „Maar het is een beetje een warrig verhaal en volgens mij klopt het ook niet helemaal."

Bij de ingang van het restaurant wordt het steeds onrustiger. Ik kijk op, maar de ingang wordt afgeschermd door een wand zodat ik niet kan zien wat er aan de hand is.

„Wat ik hiermee wil zeggen," probeert mijn vader zich te verduidelijken, „als onze Rutger Angela Sanchez ooit in het echt zou kunnen meemaken, zou hij ogenblikkelijk weten dat zij niet de vrouw van zijn dromen is. Die vrouw komt voor Rutger nog!" Mijn vader moet bijna schreeuwen om zich verstaanbaar te maken.

„We begrijpen wat je bedoelt, schat," zegt mijn moeder.

Mijn aandacht wordt naar de ingang van het restaurant getrokken. Mijn vader en moeder draaien zich ook om. Er wordt geapplaudisseerd door de vrachtwagenchauffeurs aan de bar.

„Angela Sanchez!" roept iemand enthousiast.

Tot mijn stomme verbazing zie ik Angela met haar gevolg

binnenkomen. De biefstuk draait zich om in mijn maag.

„Het is niet te geloven," zegt mijn vader. „Als je het over de duvel hebt, dan trap je hem op z'n staart."

„Wat vreemd, in het aspergerestaurant mochten wij er niet in toen zij daar waren," merkt mijn moeder op.

„Deze tent is te groot om helemaal af te huren," zegt mijn vader.

Ik zak ver onderuit op mijn stoel. Mijn lippen zijn kurkdroog. Ik wil Angela het liefst roepen, maar ik wil ook dat ze me niet ziet. Wat zal ze kwaad op me zijn als ze wist dat ik haar wilde vergeten. Even later besef ik tot mijn opluchting dat zij niets weet van mijn verloochening.

De fotografen in haar gevolg schieten plaatjes van haar en een man die glimmend van trots naast haar staat. Dat is vermoedelijk de eigenaar van de zaak. Er gebeurt eigenlijk hetzelfde als op de tennisbaan, maar nu gaat ze eten in plaats van tennissen.

De obers wijzen op de gedekte tafel naast ons. Ik zak bijna tot onder de tafel en voel dat ik een kop heb als een boei.

Mijn vader knikt mij bemoedigend toe. „Er is niets aan de hand, joh, zij weet toch niet dat jij zo over haar fantaseerde."

Angela wordt door de ober naar de tafel geleid. Haar gevolg, zo'n tien man, is druk aan het praten en aan het gebaren. Angela is de rust zelve en mooier dan ooit. Tien meter, negen, acht. We kijken elkaar recht in de ogen. Zij staat stil en verstart. Ik wil slikken maar het lukt niet.

Mijn vader kijkt mij aan, hij ziet nog niet dat zij ook van de kaart is. „Ontspannen, Rutger, ze kent je niet."

Maar mijn moeder heeft iets in de gaten. „O, nee," zegt ze verschrikt.

„Wat is er?" vraagt mijn vader.

Ik durf niet eens meer te ademen. Ik heb geen recht meer

op lucht en kan nu elk moment flauwvallen. Mijn gezicht voelt aan als een rubberen masker, terwijl ik haar recht in die bruine ogen kijk.

Angela herstelt zich, doet alsof ze mij niet kent, loopt door en gaat zitten op de stoel die de ober voor haar aanschuift. Ze zit nu met haar rug naar me toe.

Ik haal diep adem.

Het gevolg gaat ook aan tafel en de eigenaar vertelt wat ze krijgen.

„Ik dacht werkelijk even dat ze je kende," fluistert mijn moeder.

„Je hoeft niet te fluisteren, want ze spreken toch geen Nederlands," zegt mijn vader. „In ieder geval is het bewijs geleverd: ze kent je niet, Rutger."

Angela zegt wat tegen haar gezelschap. Ik krijg kippenvel van die hese stem.

Onder mijn stoel staat de andere Angela opeens op. Ze loopt met gespitste flaporen in de richting van Angela en begint te blaffen. Kwispelend springt ze op haar schoot.

„Dag lieve Angela," zegt Angela.

Mijn vaders wenkbrauwen gaan omhoog. „Hoe weet zij dat die hond Angela heet?"

Ik haal mijn schouders op.

Aan het rood worden van haar nek zie ik dat Angela beseft dat ze een blunder heeft begaan. Ze probeert de hond weg te duwen, maar het dier laat zich niet verjagen en likt kwispelend haar gezicht.

„Waarom is die hond zo blij haar te zien?" vraagt mijn vader mij op fluistertoon.

„Je hoeft niet te fluisteren, want ze verstaan je toch niet," zegt mijn moeder.

Aan de andere tafel worden er zo te horen ook vragen gesteld over het enthousiaste hondje. Angela probeert nu echt van het beest af te komen, maar het hondje denkt dat het een spel is en springt steeds weer op haar schoot. Het wordt een gênante toestand.

„Roep die hond nou toch bij je!" zegt mijn moeder tegen mij.

„Angela!" roep ik.

„Rutger," reageert Angela, terwijl ze zich met hond en al naar mij toe draait.

„Ik riep de hond," zeg ik.

„O, sorry Rutger." Ze realiseert zich haar stommiteit en slaat haar handen voor het gezicht. Wat een blamage. Nou hebben we het verpest.

„Mijn hemel," mompelt mijn vader. „Nu weet ik het ook allemaal niet meer."

„Waarom heb ik die hond dan ook Angela genoemd!" roep ik wanhopig.

Angela haalt haar handen weg en kijkt mij aan. Tranen staan in haar ogen. „Shit," zegt ze, terwijl ze van de zenuwen opeens in de lach schiet.

Als een veer schiet ik van mijn stoel en vlieg haar in de armen. De hond wordt bijna tussen ons in geplet. We omarmen elkaar en ik voel dat zij ook nooit meer van plan is los te laten.

In deze innige houding worden we gefotografeerd. Iemand slaakt een woedende kreet. Ik word van Angela weggetrokken en krijg een duw. Ik val met mijn rug op onze eigen tafel.

Mijn vader staat op om de man die mijn val veroorzaakte een duw terug te geven. Maar de man valt aan en geeft mijn vader een klap. Ik krabbel overeind en zie dat mijn moeder meteen haar hak in de buik van de agressieveling plant. De man valt. Ja, als ze aan mijn vader komen, dan krijg je met mijn moeder te maken. De hond loopt blaffend om ons heen.

Steeds meer mensen gaan zich ermee bemoeien. Ze zijn op onze hand. Het personeel van het restaurant maant tot kalmte en dreigt de politie erbij te halen. De resterende begeleiders van Angela haasten zich daarop halsoverkop naar buiten.

Ik zoek Angela, maar ze is waarschijnlijk meteen afgevoerd. Buiten zie ik haar op de parkeerplaats ruziemaken. Zijn dat haar ouders? In ieder geval is die dikke man haar manager of zoiets.

Wij blijven achter te midden van een puinhoop. Omgevallen tafels, kapotte stoelen, scherven op de grond, en zelfs de grote stierenkop hangt scheef.

Mijn moeder zit op de grond. Een personeelslid zet een stoel recht en helpt haar op de stoel.

Mijn vader kijkt haar aan en schiet in de lach.

„Waarom lach je?"

„Dat wordt een blauw oog."

„Heb jij je lip al gezien?"

Mijn vader voelt aan zijn gezwollen lip.

Ik kijk naar buiten en zie dat de ruzie hoog oploopt. Angela scheldt zo te zien haar manager de huid vol. Ze stapt vervolgens woedend in haar wagen en gaat er in haar eentje met een enorme snelheid vandoor. Het gevolg gaat nu ook de wagens in en rijdt Angela achterna.

„Wat heeft een Ferrari toch een prachtig motorgeluid," merkt mijn vader droog op. Hij is wel erg 'cool' na dit gevecht. Hij roept de ober. „Drie koffie en een sigaar, graag."

„Sí, señor," zegt de ober.

Het personeel van de zaak overlegt op de achtergrond wat te doen. Ons gedeelte van het restaurant wordt met een touw afgesloten. Nieuwe gasten bekijken ons als een bezienswaardigheid.

Er wordt koffie gebracht en mijn vader steekt een sigaar

op. „Rutger, een vakantie met jou erbij is zeker geen saaie aangelegenheid," bromt hij. Hij kan vanwege de beschadigde lip zijn sigaar maar in één mondhoek houden.

Mijn moeder begint te grinniken. Een ober brengt haar een zakje ijs om de zwelling van haar oog tegen te gaan.

„Rutger, ik moet je mijn excuses aanbieden," zegt mijn vader. „Ik zal je voortaan op je woord geloven, al beweer je dat je een verhouding hebt met Marilyn Monroe die al jaren dood is."

Ik knik en ik ben trots op mijn ouders. „Bedankt dat jullie voor me gevochten hebben."

„Graag gedaan," zegt mijn moeder terwijl ze het ijs tegen haar oog drukt.

De eigenaar van de zaak, die ik eerder al op de foto zag gaan met Angela, komt zijn excuses aanbieden voor het ongerief en zegt dat wij de rekening niet hoeven te betalen.

„Geen sprake van," zegt mijn vader. „Het eten was voortreffelijk en het amusementsgedeelte was ook zeer verzorgd. Ik sta erop de rekening te betalen!"

De eigenaar geeft mijn vader een hand en biedt ons wat te drinken aan.

„Een fles champagne als pijnstiller," zegt mijn moeder.

De fles wordt ontkurkt en we proosten.

„Het is alsof we nog steeds in een film meespelen," merkt mijn moeder op.

„Het is alleen een knokfilm geworden," mompelt mijn vader. „Met onze eigen zoon Rutger in een wel zeer dubieuze hoofdrol. Dus ik heb Angela Sanchez echt bij jou in bed gezien," grinnikt mijn vader.

„Niet dat we het daarmee eens zijn," corrigeert mijn moeder.

„Wat nu?" vraag ik.

„Dat lijkt me nogal duidelijk," zegt mijn vader.

„O, ja?" zegt mijn moeder die door de champagne weer wat kleur op haar wangen heeft gekregen.

„We gaan naar Madrid, zoals we van plan waren."

„Gaan we toch naar Angela kijken?" vraag ik.

„Ja."

„Zal ze niet afgeleid worden als ze ons ziet, na het incident?" vraag ik bezorgd. „Stel je voor dat ze door de stier op de hoorns wordt genomen omdat wij daar zitten."

„Rutger, die meid is een topper en bovendien helemaal gek van je. Ik heb gezien hoe ze op je reageert. Je mag haar nu niet in de steek laten."

„Ik wilde haar in de steek laten, voordat ze het restaurant binnenkwam."

„Dat komt," zegt mijn vader zwaaiend met zijn sigaar in de lucht, „doordat wij je ontmoedigden met ons ongeloof én door je onervarenheid én je onzekerheid. Wij gaan naar het stierenvechten!"

„Olé," zegt mijn moeder. „Met jouw kapotte lip en mijn blauwe oog zien we er belachelijk uit, maar dat staat ons niet in de weg om toch op de eretribune te verschijnen!"

„Jij bent de vrouw van mijn dromen!" roept mijn vader.

Ik hoor buiten weer het aanzwellende geluid van een Ferrari-motor. Ik kijk uit het raam en zie de auto van Angela de parkeerplaats op draaien.

„Kijk nou eens!" zeg ik tegen mijn ouders terwijl ik naar buiten wijs.

Angela stapt uit en wacht. De hele stoet volgauto's arriveert met enige vertraging.

„Ik weet niet of ik het op kan brengen om nog een keer te vechten," zegt mijn moeder droog.

De obers hebben de 'Sanchez-gang' ook opgemerkt en raken enigszins in paniek als het gezelschap weer op het restaurant af beent. Bij de ingang is er een woordenwisseling tussen Angela en de eigenaar. Even later bemoeit haar manager zich ermee. Ik kan het niet volgen omdat het zich allemaal net buiten ons zicht afspeelt, maar ik hoor wel de opgewonden stemmen.

„Misschien is dit een Spaanse traditie," merkt mijn vader op. „Eerst trap je heibel, en dan vertrek je snel om vervolgens onmiddellijk weer terug te keren. Ik zie daar eigenlijk wel een parallel in met het stierengevecht: de stier komt aangerend, probeert de doek te raken, schiet door en draait zich om, om vervolgens weer toe te stoten."

„Jouw filosofieën," zegt mijn moeder, „rammelen meestal aan alle kanten."

„Ik heb je net de vrouw van mijn dromen genoemd en als dank ga je me zitten afkatten."

„Je hebt gelijk, schat, het spijt me. Overigens, denk je dat het weer knokken wordt?"

„We zullen het snel genoeg weten." Mijn vader knikt in de richting van de eigenaar van het restaurant, die aan komt lopen.

„Neem me niet kwalijk dat ik u nog even moet storen," zegt de man, die duidelijk met de situatie omhoogzit.

„Ik neem u niets kwalijk, meneer," antwoordt mijn vader.

„De familie Sanchez wil graag een gesprek met u. Aangezien u mijn gast bent, wil ik niet dat ze u daarmee overvallen. U kunt gewoon nee zeggen en dan stuur ik ze weg."

„Weet u zeker dat ze willen praten en niet vechten?" vraagt mijn moeder.

„Ze zeggen dat ze willen praten," zegt de man, „maar het blijft, vergeef me de uitdrukking, een omhooggevallen familie. Ze zijn plotsklaps rijk geworden door de enorme populariteit van Angela, maar ja, die is dan ook een matador de toros van uitzonderlijke klasse."

Ik zie vanuit een ooghoek dat Angela en haar mensen staan te wachten.

„Is zij ook een beetje... eh..." mijn vader zoekt behoedzaam naar woorden, „ordinair?"

„Nee hoor, zij is behoorlijk intelligent en weet wat ze wil. Maar ja, ze is pas achttien en binnen de familie heeft zij het helaas nog niet voor het zeggen, ondanks het feit dat iedereen op haar zak teert."

„Wij zijn bereid tot een gesprek, met nadruk op gesprek," zegt mijn vader.

Een lange, pezige man met een snor stelt zich voor als de vader van Angela, biedt zijn excuses aan voor het onfortuinlijke incident dat heeft plaatsgevonden en bedankt mijn vader dat hij bereid is tot een gesprek.

„In Nederland is het de gewoonte om eerst te praten en dan eventueel te vechten," zegt mijn vader.

Angela komt naast mij zitten en dat is al meer dan ik ooit verwacht had. De hond springt weer kwispelend op haar schoot. Angela lacht en geeft me vluchtig een kus op mijn wang. Ik krijg een rooie kop en het voelt aan alsof ik in een bloedhete sauna zit.

„Mag ik u wat aanbieden?" vraagt mijn vader.

„Een andere keer graag. We willen het kort houden, want vanavond om zeven uur vecht mijn dochter in de arena van Madrid."

„Ik heb ze een verhaal op de mouw gespeld, hoe ik jou heb leren kennen," fluistert Angela in mijn oor, terwijl mijn vader erop stáát dat het gezelschap wat van hem drinkt.

„Hoe dan?"

„Jij hebt mij geholpen toen ik lastig werd gevallen door een man, daarom waren we daarnet zo emotioneel dat we elkaar in de armen vielen."

„O, was het daarom," fluister ik terug.

„Als jij mij niet had verdedigd, was ik aangerand."

„Ik ben dus een held?"

„Ja, en ik had het mijn ouders niet verteld omdat ik me schaamde, ook omdat ik zonder lijfwacht weg was gegaan."

„Ik zal het allemaal beamen..."

„Als dank heb ik je die kaarten voor Madrid gegeven. Dit heb ik daarnet verzonnen in de auto en toen ik het rond had, heb ik iedereen opgewacht, het verhaal verteld en ze gedwongen terug te gaan. Nu komt alles goed en zit je vanavond in de Ventas naar mij te kijken."

„Het is briljant, wat je verzonnen heb," complimenteer ik haar.

„Ik heb gelukkig van mijn dochter gehoord hoe de verhouding met... eh..." Vader Sanchez kijkt zijn dochter aan.

„Hij heet Rutger," zegt Angela behulpzaam.

„Dus... eh... hoe de verhouding van Rutger en mijn dochter tot stand is gekomen. Het was voor mij een verrassing."

„Voor mij was het ook een verrassing," onderbreekt mijn vader hem, „hoewel ik het mij niet realiseerde toen ik die ochtend in Rutgers kamer keek en Angela's blonde haren naast hem op het kussen zag liggen."

„Wát zegt u?" De vader van Angela ontploft bijna van woede.

„O nee!" roepen Angela en ik. Maar het kwaad is al geschied.

Hoofdstuk 13

„Moeten we je echt niet wegbrengen?" vraagt mijn moeder.

„Nee, ik ga liever met de taxi, dan verspillen jullie verder geen vakantiedag."

„Voor de hond ligt ook een ticket klaar," zegt mijn vader.

Ik sta met mijn koffer voor ons hotel. Het is twee uur in de middag en mijn vliegtuig gaat om vijf uur. Mijn ouders staan naast me en we wachten op de taxi. We zijn nu alle drie getekend door een vechtpartij; mijn vader heeft zijn dikke lip, mijn moeder haar blauwe oog en ik een gescheurde wenkbrauw, met twee Spaanse hechtingen erin.

Ik wil niet langer in Spanje blijven en gelukkig kon mijn retourticket zonder extra kosten worden vervroegd. Alleen voor de hond moeten we zelf betalen.

„Ik heb de krant voor je," zegt mijn vader.

„Wat moet ik nou met een Spaanse krant?" vraag ik, enigszins geïrriteerd omdat ik het zo warm heb. Ik heb mijn reiskleren aan, terwijl mijn ouders in badkleding zijn.

„Daar staat in hoe het Angela in Madrid is vergaan."

„En?" vraag ik op mildere toon.

„Ze heeft drie stieren gedood en van allemaal kreeg ze de oren, de staart en een hoef."

„Gelukkig," mompel ik. Het is een pak van mijn hart. Ik moet er niet aan denken dat haar wat zou zijn overkomen, want ik zou me mijn leven lang schuldig hebben gevoeld.

„Eens in de honderd jaar kun je zo'n gevecht zien," vertaalt mijn vader het krantenartikel. „Ze heeft de honderd procent perfectie gehaald en is vanaf nu legendarisch."

De zon brandt en het zweet loopt in straaltjes langs mijn rug.

„Er staat ook een foto van jou in de krant."

„Wat?"

„Kijk!"

Ik zie een foto van Angela en mij in het restaurant. We omarmen elkaar.

„Angela bedankt Hollandse jongen voor het afschrikken van een verkrachter," vertalen we met behulp van mijn boekje.

„Dat je mij dat verhaal niet even hebt verteld," zegt mijn vader voor de zoveelste keer.

„Ik hoorde het ook net, pa. Het was een perfecte smoes, maar jij... ach, jij kunt er toch ook niets aan doen. Je deed je best."

„Sorry, ik was wat overmoedig geworden."

„Maar we hadden ook net een gevecht achter de kiezen, plus een fles champagne, dan ben je toch minder scherp," zegt mijn moeder.

Een luxe wagen met getint glas komt aangereden.

„Ik vind het vreselijk dat je alleen moet reizen," zegt mijn moeder nog eens.

„Ik red me wel. Met alles wat ik meegemaakt heb, kan ik hier niet blijven. Iedereen kent me hier en weet wat er gebeurd is. Mijn foto was zelfs op tv. Als ik weg ben, hebben jullie nog een lekker weekje."

„Taxi!" roept de chauffeur.

Ik neem afscheid van mijn ouders en zwaai door de achterruit als de taxi wegrijdt.

Ze zwaaien een beetje aarzelend terug omdat ze door het getinte glas niet naar binnen kunnen kijken. De hond zit naast me op de bank en ze kwispelt naar me.

„Jij gaat voor het eerst vliegen," zeg ik tegen haar.

„Qué?" vraagt de taxichauffeur, terwijl hij me via de achteruitkijkspiegel aankijkt.

„Niets, nada."

De chauffeur zit achter glas en praat met mij via de intercom.

De taxi rijdt met hoge snelheid over de kustweg. Aan de linkerkant is de zee en aan de rechterkant het Spaanse land. Het is een uitzonderlijk luxe wagen, een grote Mercedes, de banken zijn met zacht leer bekleed en de airconditioning is voortreffelijk.

In een flits zie ik een affiche met Angela erop. Ik denk terug aan gisteren toen mijn vader zich versprak. Hoe de vader van Angela opsprong om haar een pak slaag te geven. Daarna kreeg ik een geweldige dreun. 'I kill you!' schreeuwde hij, terwijl het bloed in mijn ogen stroomde.

Haar moeder krijste. Het personeel probeerde beiden te kalmeren, maar kreeg de situatie niet snel onder controle. Angela werd daarop door de eigenaar de zaak uitgezet. Toen haar vader dat in de gaten kreeg, rende hij haar achterna. Haar moeder en de hele hysterische familie volgden. Wat een toestand!

Daarna nog het lange wachten in het ziekenhuis om mijn wenkbrauw te laten hechten. En de moeite die ik had om mijn ouders ervan te overtuigen dat zij hier moesten blijven en dat ik terug wilde naar huis, voordat er nog meer vervelende dingen zouden gebeuren.

„You can drink if you want," meldt de chauffeur zich.

Er zit een koelkastje in de wagen. Ik open het en zie dat het zeer royaal gevuld is met blikjes frisdrank.

„Gracias," zeg ik en ik trek een blikje sinas open. Ik zie indrukwekkende zeilschepen op zee en besef opeens dat de zee aan de verkeerde kant ligt. Zo gaan we niet naar het vliegveld van Málaga.

„We go the wrong way!" roep ik.

„Sí," zegt de chauffeur en ik hoor een klik. De intercom is afgezet.

Ik zie nu door het glas heen dat er geen meter in de wagen zit. Dit is helemaal geen taxi! Ik bons op het glas. De chauffeur reageert niet. Ik probeer de deur te openen, maar die is vergrendeld.

„We worden ontvoerd," zeg ik tegen Angela. Die kwispelt en vindt het blijkbaar niet erg.

Zou Angela's vader mij laten ophalen om me te vermoorden? Dat was juist de belangrijkste reden om weg te gaan. Het risico van wraak was groot. Ik knijp hem behoorlijk. Maar waarom word ik zo luxe ontvoerd? Is dit een Spaanse methode: iemand heel gerieflijk ophalen en dan doden? Omdat ik in een geblindeerde wagen zit kan ik niet de aandacht van andere weggebruikers trekken. Mijn ontvoerders hebben overal aan gedacht.

„It is okay, it is okay," meldt de chauffeur zich via de intercom. Hij heeft mijn onrust gezien en is natuurlijk bang dat ik stennis ga maken.

„Let me out!" schreeuw ik en ik sla heel hard op het raam. Ik bezeer mijn hand en Angela kruipt angstig en piepend zo ver mogelijk van mij weg.

„Bulletproof," zegt de chauffeur met een grijns.

Ik schreeuw het uit van woede, angst en ook omdat het pijn aan mijn hand doet.

De auto rijdt erg hard en passeert alle andere auto's. Ik zie links van mij de rots van Gibraltar liggen. Hij zal me toch niet naar Afrika ontvoeren? Nee, de wagen slaat rechtsaf en we rijden het land in. Het gaat door een heuvelachtig landschap waar veel stieren en koeien grazen. Ik ben bloednerveus en probeer een list te verzinnen, maar het enige wat ik kan doen is afwachten.

„We rijden nu door het land waar de stieren het sterkst worden," vertelt de chauffeur via de intercom.

Een ontvoerder die zich voordoet als een reisleider, ik begrijp er niets meer van.

„Wat je ziet zijn fokstieren en die hebben dit heuvelachtige landschap nodig. Het mag niet steiler zijn, maar ook niet vlakker. Dit is precies goed. Dit land lijkt het meest op de hemel."

Het is nou niet de voorstelling die ik van de hemel heb, maar ondanks mijn zorgen ben ik onder de indruk.

De wagen neemt moeiteloos de meest hobbelige onverharde binnenweggetjes. De grote steden zijn ver weg. 'Cádiz' lees ik op een verveloos bord op een kruising, en San José del Valle is de andere kant op. Ik probeer het te onthouden, misschien komt het later van pas. We laten de kruising achter ons in een wolk van stof. We komen op een verharde weg en rijden met veel lawaai over een brug.

„Deze rivier heet de Guadalete," meldt de chauffeur.

Het verkeer wordt weer drukker. We rijden om een witte stad heen die boven op een steile klif ligt.

„Arcos de la Frontera," zegt de chauffeur als we aan de ene kant onderlangs de stad rijden en aan de andere kant langs een groot stuwmeer. Na een paar kilometer verlaten we de asfaltweg en rijden dan vijf minuten over een grindpad, totdat we bij een indrukwekkende houten poort komen.

„El Rancho Sanchez," lees ik hardop.

Dit is dan mijn einde. Die vader gaat me vermoorden. Ik ben zo in paniek, dat ik heel laconiek word. Ik zweet en heb het koud. Kan die airco niet uit?

Er gaat van alles door mijn hoofd. Kan ik nog ontsnappen? Als die man de auto opendoet, zal ik dan wegrennen? Zouden mijn ouders weten dat ik vermoord ben? Maar ik wil niet dood!

Waarom ben ik niet gewoon naar Texel gegaan! Is alles voorbestemd? Was het de bedoeling dat ik naar Spanje ging en Angela zou ontmoeten? Ik denk dat ik gek word. Koortsachtig bedenk ik allerlei vluchtmogelijkheden, maar geen van alle is bruikbaar.

De chauffeur drukt op een afstandsbediening. Het hek gaat open en we staan voor een volgend hek. We bevinden ons in een soort sluis. Pas als het hek achter ons dicht is, gaat dit hek open en kunnen we het terrein oprijden. Vier Duitse herders rennen agressief blaffend rond de auto. Angela kijkt nieuwsgierig naar buiten en blaft vrolijk terug.

Na een lange oprijlaan doemt er een landhuis voor ons op. Het is wit met sierlijke ronde gevels, en aan de zijkant zie ik stallen.

De auto stopt voor de deur, die ogenblikkelijk opengaat. Angela komt naar buiten. Ze lacht.

Hoe haalt ze het in haar hoofd om nu te lachen! Het is niet om te lachen. Mijn hart klopt in mijn keel.

Angela jaagt de blaffende herdershonden weg. Ze gaat naast de chauffeur zitten en draait zich naar mij toe.

„Hallo, Rutger," zegt ze via de intercom van de auto.

Ik zeg niets, maar kijk angstig naar de voordeur van het landhuis in afwachting van wie er nog meer naar buiten komt.

De chauffeur laat de motor draaien, zodat de airco in deze bloedhitte zijn werk kan blijven doen.

Dan zie ik haar vader en moeder en die dikke manager naar buiten komen. Het vreemde is dat ze rustig blijven staan kijken. Ik had verwacht dat ze als een troep hongerige wolven op me af zouden komen om mij te verscheuren.

„Wilde je echt naar huis gaan?" vraagt Angela.

„Ja," zeg ik. Waarom laat ze me niet uit de auto? Waarom blijft ze via de intercom met me praten? Dit gaat niet

goed. „Ik heb je gisteravond nog een paar keer gebeld, om het je te vertellen." Ik heb me helemaal suf gebeld, maar dat zeg ik niet.

„Je hebt, om precies te zijn, zesentwintig keer gebeld," zegt ze zachtjes. „Dat gaf het schermpje van mijn telefoon in ieder geval aan."

„En jij hebt geen enkele keer opgenomen," zeg ik op verwijtende toon.

„Ik kon niet antwoorden, ik was bezig mijn familie tot rede te brengen."

„Wat bedoel je?"

„Dat ze moesten accepteren dat wij van elkaar houden. En dat is gelukt."

Ik weet niet goed wat ik moet zeggen. Ik had dit gewoonweg niet verwacht. Vooral niet nadat ik eerst duizenden angsten heb doorstaan tijdens die ontvoering.

„Niet boos worden," zegt ze.

„Ik word niet boos," zeg ik boos, „maar ik snap niet waarom ik in deze auto word ontvoerd. Ik was doodsbang en..."

„Rutger," zegt ze zachtjes met haar hese stem. „Deze auto rijdt je zo weer naar het vliegveld, als je dat wilt."

„Daar heb ik wat aan, het vliegtuig is al weg."

„Je snapt het niet, Rutger. Je hebt me zesentwintig keer gebeld. Wat wilde je me vertellen?"

„Ik wilde je spreken, maar jij nam niet op, dus ik dacht dat je kwaad op me was."

„Als ik had opgenomen, wat had je dan gezegd?"

„Dat het me spijt dat het zo verkeerd is gelopen en dat ik altijd van je zal blijven houden, en dat ik naar huis ga."

„Rutger, dit is het huis van mijn ouders, je bent nu welkom. Ik heb dat gisteravond na het gevecht allemaal moeten regelen, daarom kon ik de telefoon niet opnemen. Ik heb vanmorgen vroeg je hotel laten bellen. Daar zeiden ze dat je vandaag zou vertrekken. En we kwamen te weten dat je om half elf een taxi had besteld. De rest was simpel. Ik heb je naar hier laten komen om je te vragen of je de rest van de zomer bij mij komt logeren. Zo niet, dan brengt deze auto je weer terug."

'Klik!' De chauffeur haalt de achterportieren van het slot.

„En je sponsorcontract dan?"

„Ik vind jou belangrijker."

Ik kijk Angela aan en werp een blik op het huis. Ik kan niet meer denken, maar dat hoeft ook niet. Ik voel dat ik uit moet stappen.

Nou zit ik nog met één probleem: zal ik Angela straks eerlijk opbiechten dat ik bij een stierengevecht medelijden heb met de stier of laat ik haar in de waan dat ik van het stierenvechten houd...

Lees ook dit boek van Peter Jan Rens!

Carlo met zijn grote kop

Tot zijn grote opluchting én verbazing gaat de veertienjarige Carlo over naar de volgende klas. Hij had beslist gedacht dat hij zou blijven zitten. Want hij heeft niet alleen weinig uitgevoerd, maar hij was ook voor de eerste keer in zijn leven verliefd. En dan wil je aandacht in de klas nog wel eens afdwalen! Helaas wordt zijn liefde niet beantwoord.

Zijn vader vindt dat Carlo deze zomer iets leuks moet gaan doen, en regelt een vakantiebaantje voor hem op een camping op Sicilië. Het wordt een onvergetelijke vakantie. Carlo sluipt rond in het duister en heeft geheime ontmoetingen. En dat alles omdat de Italiaanse Carlo weer tot over zijn oren verliefd is, en nu op een uitdagend Hollands meisje...

ISBN 90 216 1428 6